数学ガールの秘密ノート

Mathematical Girls：The Secret Notebook (Construction of Numbers)

数を作ろう

結城 浩
Hiroshi Yuki

SB Creative

●ホームページのお知らせ

本書に関する最新情報は、以下の URL から入手することができます。

https://www.hyuki.com/girl/

この URL は、著者が個人的に運営しているホームページの一部です。

あなたへ

この本では、ユーリ、テトラちゃん、ミルカさん、そして「僕」が数学の対話を繰り広げます。

彼女たちの話がよくわからなくても、数式の意味がよくわからなくても、先に進んでみてください。でも、彼女たちの言葉にはよく耳を傾けてね。

そのとき、あなたも対話に加わることになるのですから。

登場人物紹介

「僕」

高校生、語り手。

数学、特に数式が好き。

ユーリ

中学生、「僕」のいとこ。栗色のポニーテール。

論理的な思考が好きだけど飽きっぽい。

テトラちゃん

「僕」の後輩の高校生、いつも張り切っている《元気少女》。

ショートカットで、大きな目がチャームポイント。

ミルカさん

「僕」のクラスメートの高校生、数学が得意な《饒舌才媛》。

長い黒髪にメタルフレームの眼鏡。

母

「僕」の母親。

瑞谷先生

「僕」の高校に勤務する司書の先生。

C O N T E N T S

プロローグ

数を作ろう。
数を作るのは、数を知るためだ。
数なんて、もう知ってるって？
だったら、答えてごらん。

0 とは何か。
1 とは何か。
−76529837429348659276349523 とは何か。
34028236692093846346337460743176821456 とは何か。
$\sqrt{2}$ とは何か。
π とは何か、i とは何か、ω とは何か……
数とは、いったい何なのか。

0 にとっての 1 とは何か。
僕にとっての君とは何か。
君にとっての——僕とは何か。

数を作ろう。
数とは何かを探るため。
数とは何かを——知るために。

第 1 章

0, 1, 2, 3, . . . を作ろう

"X が何かを知らないままで、X を作ることはできるだろうか。"

1.1 クイズ

ユーリ「ねーお兄ちゃん！ 何かおもしろいクイズない？」

　ユーリは僕のいとこ。近所に住んでいる中学生だ。

　休みの日になると、彼女はいつも僕の家に遊びにやってくる。
小さいころから一緒に遊んでいるので、僕のことを《お兄ちゃん》
と呼ぶ仲良しなのだ。

僕「じゃあ、こんな**クイズ**はどうかな？」

　僕はそう言って、紙に一つの数式を書いた。

> **クイズ**
>
> これは何だろうか。
>
> $$\{\{\ \},\{\{\ \}\},\{\{\ \},\{\{\ \}\}\}$$

ユーリ「えっと……文字がごちゃごちゃしてる。これは暗号？」

僕「暗号みたいだけど、これは数式だよ」

ユーリ「数式？」

僕「そう、数式。このままだと波カッコ $\{\ \}$ が入り組んでいて読みにくいから、大きさを書き換えて読みやすくしようか。外側にある波カッコほど大きく書くんだ」

$$\{\{\ \},\{\{\ \}\},\{\{\ \},\{\{\ \}\}\}$$

$$\downarrow$$

$$\Big\{\{\ \},\big\{\{\ \}\big\},\big\{\{\ \},\{\{\}\}\big\}\Big\}$$

ユーリ「おー・なるほど・よみやすくなったなー」

僕「なぜ棒読み」

ユーリ「だって、大して変わらないもん」

僕「そんなことないよ。よく見てごらん。一番外側の $\{\ \}$ の中に

は、コンマ（,）で区切られた 3 個の**要素**が入っているよね」

$$\{\underbrace{\{\}}_{\text{要素}}, \underbrace{\{\{\}\}}_{\text{要素}}, \underbrace{\{\{\},\{\{\}\}\}}_{\text{要素}}\}$$

ユーリ「うん、これならわかる。確かに 3 個ある」

僕「この数式は、

$$\{\} \quad \text{と} \quad \{\{\}\} \quad \text{と} \quad \{\{\},\{\{\}\}\}$$

という 3 個の要素を持つ**集合**を表しているんだ」

ユーリ「しゅうごう？」

僕「そうだよ。集合っていうのは——」

ユーリ「お兄ちゃん、ちょっと待った！ 結局、さっきのクイズの答えは『3 個の要素を持つ集合です』で終わり？ それだけの話だったら、つまんないんですけどー」

僕「クイズの答えはそれだけだよ。でも、この話には続きがある。この数式 $\{\{\},\{\{\}\},\{\{\},\{\{\}\}\}\}$ は集合を使って、

$$3 \text{ を作る}$$

数式なんだよ！」

ユーリ「は？ 3 を作る？」

僕「3 だけじゃないよ。集合を使うと、

$$0, 1, 2, 3, \ldots$$

という数を作っていくことができるんだ！」

ユーリ「数を作っていく？ どーゆー意味？」

僕「これは、フォン・ノイマンという人が考えた方法だから、いわば**ノイマンの方法**だね。ノイマンの方法で作った 0, 1, 2, 3, . . . という数は、こんなふうになる」

ノイマンの方法による 0, 1, 2, 3, . . .

$$0 = \{\,\}$$

$$1 = \{\{\}\}$$

$$2 = \Big\{\{\,\}, \{\{\}\}\Big\}$$

$$3 = \Big\{\{\,\}, \{\{\}\}, \{\{\}, \{\}\}\Big\}$$

$$\vdots$$

ユーリ「やっぱり暗号じゃん。さっぱりわからにゃい！」

　ユーリは猫語で不満を表明した。

僕「ノイマンの方法で数を作る話は、数学の読み物でときどき見かける。初めて見たときは、僕もさっぱり意味がわからなかった。でもね、集合のことをほんの少し知ったら意味がわかってきた。そして、すごくわくわくしたんだ」

ユーリ「さすが数式マニア。難しい数式を見てわくわくするんだ」

僕「ノイマンの方法自体はぜんぜん難しくないんだよ。ユーリなら、ちょっと説明を聞けばわかると思う」

ユーリ「そーかなー」

僕「ノイマンの方法では、0 から始めて順番に数を作っていく。まったく何もないところから、0, 1, 2, 3, ... という数を作っていくんだ」

ユーリ「おっ、何もないところから？」

僕「何もないところから無数の数を作る。かっこいいよね！」

ユーリ「おもしろそー！ ほんとにほんとにユーリでもわかる？」

僕「わかるわかる。絶対わかるから」

ユーリ「じゃ、教えて！」

僕「僕も思い出しながら話すから、一緒に考えていこうか！」

ユーリ「こんなふうにして、《数を作る》旅が始まった。旅に出た二人を、どんな冒険が待っているのだろうか——」

僕「小芝居、終わった？」

ユーリ「終わった」

　こんなふうにして、僕とユーリの《数を作る》旅が始まった。

1.2 集合

僕「僕たちはこれから、**集合を使って数を作っていく**んだけど、最初に集合がどういうものかっていう話をするね」

ユーリ「いーよん」

僕「集合というのは、簡単にいえば何かを集めたもののこと。たとえば、サイコロの目をすべて集めたものは集合になる」

$$\{ \overset{1}{\boxdot}, \overset{2}{\boxdot}, \overset{3}{\boxdot}, \overset{4}{\boxdot}, \overset{5}{\boxdot}, \overset{6}{\boxdot} \}$$

サイコロの目をすべて集めた集合

ユーリ「ふむふむ」

僕「$\overset{1}{\boxdot}, \overset{2}{\boxdot}, \overset{3}{\boxdot}, \overset{4}{\boxdot}, \overset{5}{\boxdot}, \overset{6}{\boxdot}$ というサイコロの目をすべてコンマ (,) で区切って並べる。並べる順序はどうでもいい。そして波カッコ { } で全体をくくる。これがサイコロの目をすべて集めた集合を表す数式になる」

ユーリ「少し思い出した。お兄ちゃん、集合を教えてくれたことあったね」

僕「集合は、数学でとっても大切なものだからね」

ユーリ「へー」

僕「何かを集めたものを集合と呼ぶ。また、その集合が持っている一つ一つのものを、その集合の**要素**と呼ぶ」

ユーリ「ようそ」

僕「たとえば、サイコロの目をすべて集めた集合を A としよう。つまり、

$$A = \{\boxed{1}, \boxed{2}, \boxed{3}, \boxed{4}, \boxed{5}, \boxed{6}\}$$

ということ。そして、$\boxed{1}$ と、$\boxed{2}$ と、$\boxed{3}$ と、$\boxed{4}$ と、$\boxed{5}$ と、$\boxed{6}$ はどれも集合 A の要素といえる」

ユーリ「難しくない」

僕「いいね！ じゃあね、たとえばサイコロの偶数の目をすべて集めた集合を B とすると、B はどう表せると思う？」

ユーリ「偶数の目だから、

$$B = \{\boxed{2}, \boxed{4}, \boxed{6}\}$$

ってこと？」

僕「その通り、大正解！ $\boxed{2}$ と $\boxed{4}$ と $\boxed{6}$ は集合 B の要素だね。それに対して、$\boxed{1}$ と $\boxed{3}$ と $\boxed{5}$ は集合 B の要素じゃない」

ユーリ「ぜんぜん難しくない」

僕「すばらしい！ それから、

$$\boxed{2}\text{は集合 B の要素である}$$

ということを、

$$\boxed{2}\text{は集合 B に属している}$$

という。所属や帰属の属だね。そして、$\boxed{2}$ が集合 B に属していることを、

$$\overset{2}{⚁} \in B$$

と書く」

ユーリ「どーして？ どーしてそう書くの？」

僕「こういうふうに書くのは約束だから、特に理由はない。他の書き方を発明してもいいけれど、もうすでにある書き方だから」

ユーリ「約束なんだ」

僕「そうだよ。$\overset{2}{⚁}$ が集合 B に属しているということを式で書きたいときには、

$$\overset{2}{⚁} \in B$$

と書きましょうという約束」

ユーリ「ふんふん」

僕「同じように、$\overset{2}{⚁}$ が集合 $\{\overset{2}{⚁}, \overset{4}{⚃}, \overset{6}{⚅}\}$ に属しているということを、

$$\overset{2}{⚁} \in \{\overset{2}{⚁}, \overset{4}{⚃}, \overset{6}{⚅}\}$$

と書ける。$\overset{2}{⚁}$ というサイコロの目は $\{\overset{2}{⚁}, \overset{4}{⚃}, \overset{6}{⚅}\}$ という集合に属している——つまり、$\overset{2}{⚁}$ は集合 $\{\overset{2}{⚁}, \overset{4}{⚃}, \overset{6}{⚅}\}$ の要素だから」

ユーリ「ふーん……」

僕「$\overset{1}{⚀}$ は集合 B の要素じゃないということは、

$$\overset{1}{⚀} \notin B$$

と書く。もちろん、

$$\boxed{\cdot}^{1} \notin \{\boxed{\because}^{2}, \boxed{\because}^{4}, \boxed{\vdots\vdots}^{6}\}$$

になる」

ユーリ「$\boxed{\cdot}^{1}$ は偶数じゃないから」

僕「そういうこと。集合 B ＝ $\{\boxed{\because}^{2}, \boxed{\because}^{4}, \boxed{\vdots\vdots}^{6}\}$ は偶数の目すべてを集めた集合で、$\boxed{\cdot}^{1}$ は奇数の目だから、集合 B の要素じゃない。$\boxed{\cdot}^{1}$ は集合 B に属していない。だから、$\boxed{\cdot}^{1} \notin$ B が成り立つ」

ユーリ「奇数の目を集めたのも集合だよね？」

僕「そうだね。サイコロの目のうち、奇数の目をすべて集めた集合を C とすると——」

ユーリ「奇数の目を集めた集合だから、こうでしょ？」

$$C = \{\boxed{\cdot}^{1}, \boxed{\because}^{3}, \boxed{\because}^{5}\}$$

僕「うん、それでいいね。細かいことだけど『奇数の目を集めた集合』というよりも、『奇数の目をすべて集めた集合』といった方がいいよ。その方が、どんな集合のことなのかハッキリするから」

ユーリ「ふんふん」

僕「じゃあ、ユーリに**クイズ**だよ。D は集合かな？」

$$D = \{\boxed{\cdot}^{1}, \boxed{\because}^{2}, \boxed{\because}^{4}, \boxed{\vdots\vdots}^{6}\}$$

ユーリ「$\boxed{\cdot}^{1}, \boxed{\because}^{2}, \boxed{\because}^{4}, \boxed{\vdots\vdots}^{6}$?! 集合かなあ……」

僕「ちょっと不安？」

ユーリ「$\boxed{\cdot}^{1}, \boxed{\because}^{2}, \boxed{\because}^{4}, \boxed{\vdots\vdots}^{6}$ って、何か法則があるの？」

僕「いや、いま思いつくまま並べただけ」

ユーリ「えー！」

僕「でも、この D も立派な集合なんだよ。集合を決めるとき、何か法則のようなものが必要なわけじゃない。偶数や奇数のように、その集合の要素の性質を短くいえなくてもいい」

ユーリ「じゃあ……何だってぃーの？」

僕「**集合は要素で決まる**んだ。その集合の要素になっているものが何で、その集合の要素になっていないものが何であるか、それがはっきり決まれば集合は決まる。だから、

$$D = \{\boxed{\cdot}, \boxed{\because}, \boxed{::}, \boxed{:::}\}$$

のように具体的な要素を並べて D を定めるなら、D はちゃんと集合になってる。要素がはっきり決まっているから」

ユーリ「おー……ちょっとおもしろくなってきた」

1.3 共通部分

僕「その集合に属する要素を書き並べて集合を定めてもいいけど、二つの集合の **共通部分**（きょうつうぶぶん）として集合を定めることもできる。共通部分というのは、二つの集合の両方に属している要素全体の集合のこと」

ユーリ「きょうつうぶぶん」

僕「たとえば、集合 $\{\boxed{\cdot}, \boxed{\because}, \boxed{\therefore}\}$ と集合 $\{\boxed{\cdot}, \boxed{\therefore}, \boxed{:::}\}$ の共通部分は、両

方に属している要素全体の集合だから、

$$\{\boxed{1}, \boxed{3}\}$$

という集合になる。共通部分は ∩ という記号を使って表す約束だから、

$$\{\boxed{1}, \boxed{2}, \boxed{3}\} \cap \{\boxed{1}, \boxed{3}, \boxed{5}\} = \{\boxed{1}, \boxed{3}\}$$

といえる。この ∩ という記号をキャップと呼ぶ人もいるね」

ユーリ「あ、この共通部分って、お兄ちゃんに教えてもらったよ。重なってるところでしょ？」

僕「集合の関係を表す**ヴェン図**のことだね。そうそう。集合をこんなふうにマルを描いて表して、その内側に要素が入るようにすると、二つの集合の共通部分は、まさにマルが重なっているところに相当する」

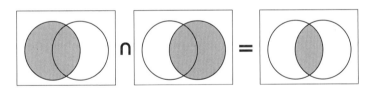

二つの集合の共通部分

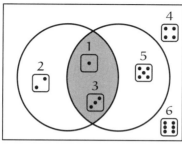

$$\{ \overset{1}{\boxdot}, \overset{2}{\boxdot}, \overset{3}{\boxdot} \} \cap \{ \overset{1}{\boxdot}, \overset{3}{\boxdot}, \overset{5}{\boxdot} \} = \{ \overset{1}{\boxdot}, \overset{3}{\boxdot} \}$$

1.4　和集合

ユーリ「要素を合わせたものもあったよね？」

僕「うん、二つの集合の**和集合**だね。和集合は、二つの集合の少なくともどちらかに属している要素全体の集合のこと」

ユーリ「わしゅうごう」

僕「たとえば、集合 $\{ \overset{1}{\boxdot}, \overset{2}{\boxdot}, \overset{3}{\boxdot} \}$ と集合 $\{ \overset{1}{\boxdot}, \overset{3}{\boxdot}, \overset{5}{\boxdot} \}$ の和集合は、少なくともどちらかに属している要素全体の集合だから、

$$\{ \overset{1}{\boxdot}, \overset{2}{\boxdot}, \overset{3}{\boxdot}, \overset{5}{\boxdot} \}$$

という集合になる。和集合は ∪ という記号を使って表す約束だから、

$$\{ \overset{1}{\boxdot}, \overset{2}{\boxdot}, \overset{3}{\boxdot} \} \cup \{ \overset{1}{\boxdot}, \overset{3}{\boxdot}, \overset{5}{\boxdot} \} = \{ \overset{1}{\boxdot}, \overset{2}{\boxdot}, \overset{3}{\boxdot}, \overset{5}{\boxdot} \}$$

といえる。この記号 ∪ はカップと呼ばれることもある」

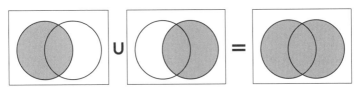

二つの集合の和集合

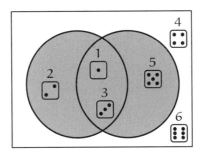

$$\{\overset{1}{\boxdot}, \overset{2}{\boxdot}, \overset{3}{\boxdot}\} \cup \{\overset{1}{\boxdot}, \overset{3}{\boxdot}, \overset{5}{\boxdot}\} = \{\overset{1}{\boxdot}, \overset{2}{\boxdot}, \overset{3}{\boxdot}, \overset{5}{\boxdot}\}$$

ユーリ「両方の要素を合わせるんだから、厳密には、

$$\{\overset{1}{\boxdot}, \overset{2}{\boxdot}, \overset{3}{\boxdot}\} \cup \{\overset{1}{\boxdot}, \overset{3}{\boxdot}, \overset{5}{\boxdot}\} = \{\overset{1}{\boxdot}, \overset{1}{\boxdot}, \overset{2}{\boxdot}, \overset{3}{\boxdot}, \overset{3}{\boxdot}, \overset{5}{\boxdot}\}$$

みたいに書くんじゃないの？」

僕「なるほど。$\overset{1}{\boxdot}$ や $\overset{3}{\boxdot}$ は両方に属しているから 2 個ずつ入れる
必要があるんじゃないかという疑問だよね。そう書いてもい
いけれど、1 個ずつ書くだけでいいよ」

ユーリ「へー……なんで？」

僕「集合は要素で決まる。波カッコ { } の中に同じ要素を何個書
いたとしても、その要素が属しているかどうかについては、

　　　何の影響もないからなんだ」

ユーリ「？」

僕「⚀ を 1 個書いた場合でも、2 個書いた場合でも、⚀ が属していることに何の違いもない」

$$\overset{1}{⚀} \in \{\overset{1}{⚀}, \overset{2}{⚁}, \overset{3}{⚂}, \overset{5}{⚄}\} \qquad \overset{1}{⚀} \text{ を 1 個書いた}$$

$$\overset{1}{⚀} \in \{\overset{1}{⚀}, \overset{1}{⚀}, \overset{2}{⚁}, \overset{3}{⚂}, \overset{3}{⚂}, \overset{5}{⚄}\} \qquad \overset{1}{⚀} \text{ を 2 個書いた}$$

ユーリ「そういうふうに考えるんだ」

僕「集合は要素で決まる。どんな要素を持っているかを調べることでは、この二つの集合は区別できない。別の言い方をすると、この二つの集合は等しい集合を表している。なぜならこの式で……

$$\{\overset{1}{⚀}, \overset{2}{⚁}, \overset{3}{⚂}, \overset{5}{⚄}\} = \{\overset{1}{⚀}, \overset{1}{⚀}, \overset{2}{⚁}, \overset{3}{⚂}, \overset{3}{⚂}, \overset{5}{⚄}\}$$

- 左辺の集合に属している要素は、
  すべて右辺の集合に属している。そして、
- 右辺の集合に属している要素は、
  すべて左辺の集合に属している。

　　　……だからだよ」

ユーリ「その理屈っぽいとこ、気持ちいい！」

僕「それから、要素を並べる順序がどうなっていてもいい。だからたとえば、

$$\{\overset{1}{⚀}, \overset{2}{⚁}, \overset{3}{⚂}, \overset{5}{⚄}\} = \{\overset{5}{⚄}, \overset{1}{⚀}, \overset{3}{⚂}, \overset{2}{⚁}\}$$

が成り立つ」

ユーリ「集合はどんな要素が属しているかで決まるから？」

僕「その通り！──で、集合についてたくさん話したけど、ここまではわかった？」

- 何かを集めたものを**集合**といい、
  集めた一つ一つのものをその集合の**要素**という。
- 集合は $\{\overset{2}{\boxdot}, \overset{4}{\boxdot}, \overset{6}{\boxdot}\}$ のように要素を並べて表すことがある。
- 集合は要素で決まる。
- x が集合 A の要素であることを $x \in A$ で表す。
  ○ x は集合 A に属しているともいう。
  ○ 集合 A は x を要素に持つともいう。
- x が集合 A の要素ではないことを $x \notin A$ で表す。
  ○ x は集合 A に属していないともいう。
  ○ 集合 A は x を要素に持たないともいう。
- 二つの集合 A, B の**共通部分**を $A \cap B$ で表す。
  これは、二つの集合 A と B の両方に属している要素全体の集合である。
- 二つの集合 A, B の**和集合**を $A \cup B$ で表す。
  これは、二つの集合 A と B の少なくとも片方に属している要素全体の集合である。
- 二つの集合 A と B が**等しい**ことを、$A = B$ で表す。
  これは、集合 A の要素がすべて集合 B の要素になっており、集合 B の要素がすべて集合 A の要素になっていることである。

ユーリ「わかった。そんなに難しくない」

僕「じゃあ、いよいよ《数を作る》話をしよう」

ユーリ「わくわくぅ！」

1.5　0を作ろう

僕「僕たちはいまから、集合を使って数を作っていく」

ユーリ「何とかの方法」

僕「**ノイマンの方法**では、0から始めて順番に数を作っていく。まったく何もないところから、0, 1, 2, 3, . . . という数を作っていくんだよ」

ユーリ「何もないのに、どーすんの？」

僕「数を作るノイマンの方法、実は一言でいえる」

数を作るノイマンの方法
これまでに作った数のすべてを要素に持つ集合を、次の数とする。

ユーリ「は？　これまでに作った数のすべて？　意味わかんない！」

僕「うん。順番に話していくよ。**最初に0という数を作ろう**。でも、初めは何もないから、集めることができる要素は一つもない。こんな状態だ」

僕たちがここまでで手に入れた数

ユーリ「何もない」

僕「もしも ♡ があるなら、それを要素に持つ集合 {♡} が作れる」

ユーリ「ハート ♡ を要素に持つ集合 {♡}……」

僕「でも、いまは何もないから作れる集合はこれしかない」

$$\{\}$$

ユーリ「あれ？ {} も集合なの？ 何も集まってないのに？」

僕「うん、{} も集合だよ。{} は**要素を何も持たない集合**を表している。{} を空集合という」

ユーリ「くうしゅうごう……何にも集めてないのに集合なんだ」

僕「そうだね。空集合も立派な集合だよ」

ユーリ「変な感じ」

僕「集合は要素で決まる。空集合は要素を何も持たない。つまり、どんなものも空集合の要素になっていることはない。言い換えると、どんな x に対しても、

$$x \notin \{\}$$

が成り立つ集合のことを空集合 {} というわけだ」

ユーリ「おおおおっ！」

僕「空集合を直感的に考えたいなら、上に何も乗っていない皿を
　　イメージしてもいいかな。上に何も乗っていない空の皿でも、
　　皿。要素を一つも持っていない空集合でも、集合」

ユーリ「空の皿もいーけど、ユーリは $x \notin \{\}$ に感動したよ！ ど
　　んなものを持ってきても、それは空集合の要素じゃない！」

僕「ユーリは、そこに感動するんだ。すごいな……さて、これで
　　僕たちは空集合を手に入れた。そこで僕たちは、空集合に

$$0$$

　　という名前を付けることにする。0 だ」

ユーリ「$0 = \{\}$ だってこと？」

僕「うん、それでいいよ」

ユーリ「何で空集合 $\{\}$ が 0 になるの？」

僕「ノイマンはそのように考えた。0 は、空集合 $\{\}$ に付けた名前
　　だと見なす。さっきから集合に A, B, C, D という名前を付け
　　てきたけど、それとまったく同じように、

$$0 = \{\}$$

　　という名前を付ける。漢字の "零" やカタカナの "ゼロ" って
　　名前を付けてもいいけど、見慣れている数字の 0 を使った」

ユーリ「ふーん……まー、0 でよかろう」

僕「これで 0 ができた。僕たちは 0 という数を手に入れた！」

```
僕たちがここまでで手に入れた数
                    0
```

ユーリ「ほほー……」

1.6 1を作ろう

僕「次に 1 という数を作ろう。僕たちは 0 を手に入れた。だから、0 を要素に持つ集合 $\{0\}$ を作ることができる。そして、$\{0\}$ という集合に対して 1 という名前を付けることにする。つまり、

$$1 = \{0\}$$

とする」

ユーリ「というのがノイマンの方法ってことだよね？ 絶対にこう決めなきゃいけないってわけじゃないよね？」

僕「そう！ こういうふうに決めなくちゃいけない——というわけじゃない。ノイマンの方法では、集合を使って $\{0\}$ を 1 と呼ぶことにした、というだけの話。このように決めるとおもしろいことがいろいろ起きるからなんだ」

ユーリ「えーと……でも、ちょっと待ってよ。

$$1 = \{0\}$$

にしたら、1 も空集合にならない？」

僕「どういうこと？」

ユーリ「だって、

$$0 = \{\}$$

って決めたんだから、0は要素を持たない空集合でしょ。だったら、

$$1 = \{0\}$$

にしたら1だって要素を持ってないじゃん？」

僕「いやいや、そんなことはないよ。$\{0\}$ は0という要素を持っている。つまり、

$$0 \in \{0\}$$

が成り立つ。ということは、$\{0\}$ は空集合じゃないだろう？」

ユーリ「……」

　ここで、ユーリが長考に入った。
　栗色の髪が窓からの光を受けて金色に輝く。
　僕は、彼女の思考を邪魔しないように静かに待つ。

僕「……」

ユーリ「……わかった！ 空集合も、ものなんだね？」

僕「もの？」

ユーリ「⚀や⚁みたいなサイコロの目は一つ一つのものって感じがする。でも、集合は一つのものって感じがしなかった。空集合なんて何も要素がないからなおさら一つのものって感じがしない」

僕「……」

ユーリ「でも、集合も一つの・も・のなんだね？」

僕「ユーリは賢いなあ！ ユーリが気付いた通り。集合も一つの・も・のとして扱う。もちろん空集合も一つの・も・のだ。・も・の——つまり数学的対象として考える」

ユーリ「ふんふん！」

僕「空集合 {} に僕たちは 0 という名前を付けた。だから、集合 {0} は 0 という要素だけを持っている集合になる。要素を持っているんだから、{0} は空集合じゃない」

ユーリ「集合 {0} の要素は 0 だけど、0 は空集合だよね。空集合も集合の要素になれるんだ！」

僕「そうだね！ さっきの皿のたとえ話でいえばこうなる」

- 空集合 {} は、空の皿 にたとえられる。
- 空集合 {} に僕たちは 0 という名前を付けた。
  0 = {} だから、0 は 空の皿 だ。
- 空集合だけを要素に持つ集合 {0} は、
  空の皿が乗った皿 にたとえられる。
- 集合 {0} に僕たちは 1 という名前を付けた。
  1 = {0} だから、1 は 空の皿が乗った皿 だ。

ユーリ「ユーリ、完全に理解した！ ねー、お兄ちゃん！ 0 は空集合の要素じゃないから、

$$0 \notin \{\}$$

だし、0 は {0} の要素だから、

$$0 \in \{0\}$$

と書けるよね？」

僕「その通り！　どちらも完全に正しいよ。そして、さっき 0 = { } と決めたから、

$$1 = \{0\} = \{\{\}\}$$

になる。つまり、0 ∉ { } は、

$$\{\} \notin \{\}$$

と書ける。それから、0 ∈ {0} は、

$$\{\} \in \{\{\}\}$$

と書ける」

ユーリ「そーゆーの、アリなんだね！」

僕「《そういうの》って？」

ユーリ「{0} の 0 のところを { } にしてもいーの？」

僕「もちろん。いま僕たちは**集合を使って数を作って**いこうとしている。0 は { } に付けた名前に過ぎないから、{0} の 0 を { } に置き換えても構わない」

ユーリ「ほー！」

僕「0 を、{ } に貼り付けたシールだと思ってもいいよ」

ユーリ「ペタッて？」

僕「そうだね、0 という名前シールをペタッて貼り付けただけ。そして 0 というシールをはがしてみると、{} という集合の姿が見える」

ユーリ「うんうん」

僕「同じように、{0} と書いた数式に 1 というシールを貼った。シールは "1" でも "one" でも "壱" でも何でもいいんだよ。何語であっても 1 という数は同じ数だからね」

ユーリ「すっごくおもしろくなってきた！」

僕たちがここまでで手に入れた数

0, 1

1.7 2を作ろう

僕「さっきまで何もなかったけど、僕たちはもう 0 と 1 という数を持っている」

ユーリ「次は 2 という数を作るんだよね？」

僕「そうだね。ノイマンの方法では、0 と 1 を要素に持つ集合に 2 という名前を付ける。つまり——」

ユーリ「待って待って待って！ それユーリわかるよ。0 と 1 を要素に持つ集合だから、0 と 1 をコンマで区切って波カッコで

くくって、

$$\{0, 1\}$$

になる。これに 2 という名前を付ける。だから、

$$2 = \{0, 1\}$$

でしょ？」

僕「ユーリは理解が早いなあ！」

ユーリ「ふふん。集合 $\{0, 1\}$ に 2 というシールを貼ったぞー！」

僕「いいね！ それじゃ、$2 = \{0, 1\}$ で 0 のシールをはがしたらどうなる？ つまり、0 を波カッコを使って表したら？」

ユーリ「$0 = \{\}$ って決めたんだから、$2 = \{\{\}, 1\}$ になる！」

$$2 = \{0, 1\}$$

$$2 = \{\{\}, 1\} \qquad\qquad 0 = \{\} \text{ だから}$$

僕「はい、正解！ じゃあ、さらに 1 のシールもはがせるよね」

ユーリ「$1 = \{0\}$ を使うんでしょ？ あっ、0 もはがせる。だから、こうなる？ ……ややこしーね」

$$2 = \{\{\}, 1\} \qquad\qquad 1 \text{ に注目}$$

$$2 = \{\{\}, \{0\}\} \qquad\qquad 1 = \{0\} \text{ だから}$$

$$2 = \{\{\}, \{0\}\} \qquad\qquad 0 \text{ に注目}$$

$$2 = \{\{\}, \{\{\}\}\} \qquad\qquad 0 = \{\} \text{ だから}$$

僕「ややこしいけど合ってるよ。さあ、僕たちは 0, 1, 2 を手に入

れた。次は——」

> 僕たちがここまでで手に入れた数
>
> $$0, \quad 1, \quad 2$$

ユーリ「次は 3 を作る！」

1.8 3を作ろう

僕「そうだね。3 を作ろう」

ユーリ「これまでに出てきた数は 0, 1, 2 で、それを要素に持つ集合を考えて、それを 3 にしちゃうんでしょ？ とゆーことは、

$$3 = \{0, 1, 2\}$$

になる！ カーンタン！」

僕「そうだね。そしてこの、

$$3 = \{0, 1, 2\}$$

で 0, 1, 2 のシールをはがしてみよう。順番にね」

$$3 = \{0, 1, 2\}$$

$$3 = \{\{\,\}, 1, 2\}$$

$$3 = \{\{\,\}, \{0\}, 2\}$$

$$3 = \{\{\,\}, \{\{\,\}\}, 2\}$$

$$3 = \{\{\,\}, \{\{\,\}\}, \{0, 1\}\}$$

$$3 = \{\{\,\}, \{\{\,\}\}, \{\{\,\}, 1\}\}$$

$$3 = \{\{\,\}, \{\{\,\}\}, \{\{\,\}, \{0\}\}\}$$

$$3 = \{\{\,\}, \{\{\,\}\}, \{\{\,\}, \{\{\,\}\}\}\}$$

ユーリ「おっおっ？ これってクイズの暗号？」

$$\{\{\,\}, \{\{\,\}\}, \{\{\,\}, \{\{\,\}\}\}\}$$

僕「そうそう。だから最初に僕が出したクイズ（p.2）は、ノイマンの方法で作った3だったんだよ！」

ユーリ「おー！」

ノイマンの方法で作った 0, 1, 2, 3

$$0 = \{\,\}$$
$$1 = \{0\} = \{\{\,\}\}$$
$$2 = \{0, 1\} = \{\{\,\}, \{\{\,\}\}\}$$
$$3 = \{0, 1, 2\} = \{\{\,\}, \{\{\,\}\}, \{\{\,\}, \{\{\,\}\}\}\}$$

僕「ね？ 何もないところから、順番に0, 1, 2, 3を作ってきた。数を作るノイマンの方法はおもしろいよね」

ユーリ「うおー！ 何がおもしろいかわかんないけど、おもしろいぞー！ 何にもないところから作ってくのがおもしろいのにゃあ？」

僕「僕がおもしろいと思うのは、集合以外の何にも頼らずに数を作ってるところかな」

ユーリ「うん？」

僕「ほら、小学校で 1, 2, 3 を習うときにはリンゴが出てきたり、ミカンが出てきたりするよね」

ユーリ「たかしくんはリンゴを 3 個持ってます、みたいな」

僕「それはわかりやすいんだけど、3 という数はリンゴじゃなくてもいいよね。ミカンでもいい」

ユーリ「人間でもいいよ。3 人の愉快な仲間がいます、みたいな」

僕「でも本来、リンゴやミカンや人間に頼らなくても数はある。ノイマンの方法だと、何もないところから 0 を作り、0 を使って 1 を作り、0 と 1 を使って 2 を作り、0 と 1 と 2 を使って 3 を作る。何にも頼らずに、集合だけで《3 というもの》を作り出してるところに感動するんだよ！」

ユーリ「うん！ すんごくおもしろい！」

僕たちがここまでで手に入れた数

$$0, \quad 1, \quad 2, \quad 3$$

1.9 後続数

僕「僕たちは、何もないところから始めて 0,1,2,3 という数を順番に作ってきた」

ユーリ「ノイマンの方法で」

数を作るノイマンの方法
これまでに作った数のすべてを要素に持つ集合を、次の数とする。

僕「ノイマンの方法は『これまでに作った数のすべてを要素に持つ集合を、次の数とする』わけだから、ある数の《次の数》というのが大切になる。そこで名前を付けておこう。ある数の《次の数》を、その数の**後続数**と呼ぶことにする」

ユーリ「こうぞくすう?」

僕「後に続く数という意味だね」

ユーリ「後・続・数」

僕「そして、一般的に、n という数の後続数を、

$$n'$$

で表すことにする。n にダッシュ（′）という記号を付けて、n'（エヌ・ダッシュ）という」

ユーリ「えっ、急に難しくなったんですけど」

僕「いやいや、ただ単に書き方の話をしてるだけだよ。

ノイマンの方法では 0 の《次の数》は {0} である

という代わりに、

ノイマンの方法では 0 の《後続数》は {0} である

というだけのこと。それからもっと簡単に、

$$0' = \{0\}$$

と書き表す約束にしようと言ってるんだ。書き方の約束のこと。{0} のことを簡単に $0'$ で表しましょうという話」

ユーリ「それだけのこと？」

僕「それだけのことで、

$$0' = \{0\} \qquad \text{0 の後続数は \{0\} である}$$
$$1' = \{0, 1\} \qquad \text{1 の後続数は \{0, 1\} である}$$
$$2' = \{0, 1, 2\} \qquad \text{2 の後続数は \{0, 1, 2\} である}$$

と書き表せることになる」

ユーリ「りょーかい。$3'$ は $\{0, 1, 2, 3\}$ だよね？」

$$3' = \{0, 1, 2, 3\} \qquad \text{3 の後続数は \{0, 1, 2, 3\} である}$$

僕「その通り。そしてこの $3'$ に 4 という名前を付ける」

ユーリ「$0, 1, 2, 3, 4, \ldots$ って、無限に続けられる！」

僕「その通り——だけど、そこでおもしろい話になる」

ユーリ「なになに？」

僕「ノイマンの方法で《n という数から後続数 n' を作る》ことを、和集合を使って簡単に表せるんだよ。こんなふうに！」

後続数と和集合

ノイマンの数 n に対し、n の後続数を n' で表すと、

$$n' = n \cup \{n\}$$

が成り立ちます。

1.10 n' を作ろう

ユーリ「えっえっ、ちょっと待ってよ。

$$n' = n \cup \{n\}$$

ってどーゆーこと？ n' は、$0, 1, 2, 3, \ldots, n$ を要素に持つ集合じゃないの？」

$$0' = \{0\} \qquad \qquad 0 \text{ の後続数は } \{0\} \text{ である}$$

$$1' = \{0, 1\} \qquad \qquad 1 \text{ の後続数は } \{0, 1\} \text{ である}$$

$$2' = \{0, 1, 2\} \qquad \qquad 2 \text{ の後続数は } \{0, 1, 2\} \text{ である}$$

$$3' = \{0, 1, 2, 3\} \qquad \qquad 3 \text{ の後続数は } \{0, 1, 2, 3\} \text{ である}$$

$$\vdots$$

$$n' = \{0, 1, 2, 3, \ldots, n\} \quad n \text{ の後続数は } \{0, 1, 2, 3, \ldots, n\} \text{ である}$$

僕「うん、そうだよ。

$$n' = \{0, 1, 2, 3, \ldots, n\}$$

は正しい。でもここにテンテン（...）が出てくるのがちょっと気になる。二つの集合の和集合を求める ∪ を使えば、テンテンを使わずに、

$$n' = n \cup \{n\}$$

と書けるんだ」

ユーリ「$n \cup \{n\}$ が n の後続数になるってこと？」

僕「まさにそう。n という名前を付けた集合と、$\{n\}$ という集合。その二つの集合の和集合である $n \cup \{n\}$ が n の後続数を表す集合になっているんだよ」

ユーリ「えーっと、和集合ってぜんぶ集めるんだっけ？」

僕「A と B が集合のとき、和集合 $A \cup B$ は、《集合 A のすべての要素》と《集合 B のすべての要素》を集めた集合になる」

ユーリ「……」

　ユーリは急に無言になった。思考モードに入ったんだな。

僕「……」

　ややあって、ユーリは満足げに顔を上げた。

ユーリ「わかった！ 確かに、n の後続数 n' は、

$$n' = n \cup \{n\}$$

　になるね！ おもしろかった！」

僕「ユーリはいま何を考えた？」

ユーリ「あのね、

$$3 \cup \{3\}$$

　がどーなるかを考えたの。そしたら $3'$ になった」

僕「ユーリは賢いなあ！ **具体例で考える**のはいいね！」

ユーリ「あのね、$3 = \{0, 1, 2\}$ じゃん？ そこから、$3 \cup \{3\}$ はすぐ
　にわかるの。

$$
\begin{aligned}
3 \cup \{3\} &= \{0, 1, 2\} \cup \{3\} \quad && 3 = \{0, 1, 2\} \text{ だから}\\
&= \{0, 1, 2, 3\} && \{0, 1, 2\} \text{ と } \{3\} \text{ の要素をすべて集めた集合}\\
&= 3' && 3' = \{0, 1, 2, 3\} \text{ だから}
\end{aligned}
$$

　だから、確かに、

$$3 \cup \{3\} = 3'$$

　になってる！」

僕「そうだね。ユーリはいま $n = 3$ の場合に $n \cup \{n\}$ が n' にな

ることを確かめたんだね。$n = 0, 1, 2, 3$ について同じように
確かめられる」

$$
\begin{array}{rclclcl}
0 \cup \{0\} &=& \{\} \cup \{0\} &=& \{0\} &=& 0' \\
1 \cup \{1\} &=& \{0\} \cup \{1\} &=& \{0, 1\} &=& 1' \\
2 \cup \{2\} &=& \{0, 1\} \cup \{2\} &=& \{0, 1, 2\} &=& 2' \\
3 \cup \{3\} &=& \{0, 1, 2\} \cup \{3\} &=& \{0, 1, 2, 3\} &=& 3'
\end{array}
$$

ユーリ「うんうん。わかるわかる」

僕「これで僕たちは、ノイマンの方法を式で表現できる」

ユーリ「おお？」

数を作るノイマンの方法（式を使う）

$0 = \{\}$　　　　空集合を、数 0 とする。

$n' = n \cup \{n\}$　　　$n \cup \{n\}$ を、数 n の後続数 n' とする。

僕「この二つの式だけで、$0, 1, 2, 3, 4, \ldots$ という無数の数が作れ
ることになるんだ」

ユーリ「おお！」

母「子供たち、おやつよ！」

僕たちがここまでで手に入れた数

$$0, 1, 2, 3, 4, \cdots$$

1.11　数って何だろう

僕とユーリはリビングで話を続ける。

僕「ところで、空集合から数を作っていく《ノイマンの方法》だけど、これだとまだ《数》って感じがしないよね」

ユーリ「どゆこと？ 順番に $0, 1, 2, 3, \cdots$ を作ったじゃん。次の数、その次の数……って続ければいくらでも作れるんじゃないの？」

僕「そうだね、いくらでも作れる。でも、数ってそういうものだっけ？」

ユーリ「数って、どーゆーものだっけ？」

僕「何を知っていれば《数を知っている》といえるんだろう」

ユーリ「……」

僕「数があれば、何ができるんだろう」

ユーリ「……」

僕「何ができるもののことを、数と呼ぶんだろう」

ユーリ「ねー、ちょっと黙っててくんない？ 考えてるんだから」

僕「はいはい」

母「数があったら、数えられるわね。1つ、2つ、3つ」

　紅茶とクッキーを持ってきた母さんが、僕たちの会話に入ってきた。1つ、2つ、3つと数えながら、ティーカップを置く。

僕「数があったら、数えられる。そうだね」

母「計算もできるわよ」

ユーリ「たとえば、3 + 2 とか」

僕「そう。僕たちは 3 + 2 のような計算をしたくなる」

母「3 + 2 = 5 でしょ？ そんなに難しい話なの？」

　母さんは頭の上に「？」マークを浮かべながら、僕とユーリの会話を聞いている。

僕「僕たちはいま、ノイマンの方法で数を作っている。

$$0, 1, 2, 3, \ldots$$

は作ったけれど、まだ 3 + 2 が何になるかはわからない。だって、ノイマンの数にはまだ**足し算が定義されていない**から」

ユーリ「待って待って。ノイマンの数でも 3 + 2 = 5 じゃないの？ 3 + 2 を計算したら 5 になるってわかってるじゃん！」

僕「もちろん、僕たちはノイマンの数でも 3 + 2 = 5 になってほしい。でも、ほら、思い出して。3 や 2 や 5 というのは集合に付けた名前に過ぎない。集合にペタッと貼ったシールに過

ぎないんだ。だから、$3 + 2$ が何になるかをちゃんと定義しなきゃ何も決まらない」

ユーリ「もしかして、0, 1, 2, 3, ... という《数を作る》だけじゃなくて、《足し算も作る》ってこと？ そんなの出来るの？」

僕「出来るんだよ。これもおもしろい話だよ。簡単なルールを定義するだけで、ちゃんと $3 + 2 = 5$ になるような足し算を定義できるんだ」

ユーリ「本当に足し算を作るんだね！」

母「あなたたち、すごいもの作ってるのね……」

1.12 $m + n$ **を作ろう**

僕「いまから、足し算ルールを考えていきたい。m と n というノイマンの数が二つあったときに、

$$m + n$$

がやはりノイマンの数になって、しかも僕たちがよく知っている足し算の結果になるように、そんなふうに足し算を定義するんだ」

ユーリ「わかった！」

僕「お？」

ユーリ「$3 + 2 = 5$ だけじゃなくて、全部ルールにすればいいじゃん！ こんなふうに、全部のパターンを作っちゃえ！」

$$1 + 1 = 2$$
$$1 + 2 = 3$$
$$1 + 3 = 4$$
$$\vdots$$
$$2 + 1 = 3$$
$$2 + 2 = 4$$
$$\vdots$$
$$100 + 1 = 101$$
$$\vdots$$
$$9999 + 1 = 10000$$
$$\vdots$$

僕「おおお。ユーリは賢いなあ！ 確かにこれでも足し算を定義
　したことになる。でも、あちこちに省略のテンテンが出てき
　ちゃうね」

ユーリ「しょうがないじゃん！ 数は無数にあるんだもん！」

僕「いやいや、さっき n の後続数を $n' = n \cup \{n\}$ という一つの式
　で定義したように、わずかな式で足し算も定義できるんだ」

ユーリ「へー！ どーやって？」

僕「たとえば、とても簡単なものから考えよう。$3 + 0$ はどんな
　数になってほしい？」

ユーリ「$3 + 0 = 3$」

僕「そうだね。だからこれで、$n + 0$ の場合のルールが作れた。
　　足し算ルール Ⓐ だ」

足し算ルール Ⓐ （0 を足す場合）
どんなノイマンの数 n に対しても、次の式が成り立つことに
します。

$$n + 0 = n$$

ユーリ「ふーん……これは、0 を足しても変わらないことにする
　　　ぞ！ って意味？」

僕「そういう意味。この足し算ルール Ⓐ で、$0 + 0$ も、$1 + 0$ も、
　　$2 + 0$ も、すべて何になるか決まったことになる」

ユーリ「待ってよ。でもそれは、$n + 0$ の場合だけじゃん？　$3 + 2$
　　　は計算できないよ」

僕「そうだね。だから足し算ルール Ⓐ だけじゃ不十分だ。そこ
　　で、次の足し算ルール Ⓑ を用意する」

ユーリ「そんな調子でルール作ったら、結局全部のパターン作る
　　　ことになっちゃうじゃん」

僕「ところが、そうはならない。足し算ルール Ⓑ はこうだよ。こ
　　れで $3 + 2$ が計算できる」

足し算ルール Ⓑ

どんなノイマンの数 m, n に対しても、次の式が成り立つことにします。

$$m + n' = m' + n$$

ユーリ「え？　これ、どーゆー意味？」

僕「どういう意味だと思う？」

ユーリ「《m と、n の後続数を足した数》は、《m の後続数と、n を足した数》に等しい」

僕「ユーリは正しく読めているよ」

ユーリ「$m = 1$ と $n = 2$ で考えると、

$$1 + 2' = 1' + 2$$

ってことだよね。$2' = 3$ で、$1' = 2$ だから、

$$1 + 3 = 2 + 2$$

になる……だから正しいけど、何やってるかわからん」

僕「この足し算ルール Ⓑ を使うと、$3 + 2$ をちゃんと計算できるんだ。もちろん 5 になる」

$$3 + 2 = 3 + 1' \qquad 2 = 1' \text{ だから}$$
$$= 3' + 1 \qquad \text{足し算ルール Ⓑ で、} m = 3, n = 1 \text{ とした}$$
$$= 4 + 1 \qquad 3' \text{ には } 4 \text{ という名前が付いている}$$
$$= 4 + 0' \qquad 1 = 0' \text{ だから}$$
$$= 4' + 0 \qquad \text{足し算ルール Ⓑ で、} m = 4, n = 0 \text{ とした}$$
$$= 5 + 0 \qquad 4' \text{ には } 5 \text{ という名前が付いている}$$
$$= 5 \qquad \text{足し算ルール Ⓐ で、} n = 5 \text{ とした}$$

ユーリ「……」

僕「ね？ 後続数と足し算ルール Ⓐ と Ⓑ で $3 + 2 = 5$ が証明できた」

ユーリ「これずるい……ってか、うまい！ 足し算ルール Ⓑ の意味、わかったよ。

$$3 + 1' = 3' + 1$$
$$4 + 0' = 4' + 0$$

だから、＋ の左側の数を 1 ずつ増やして、右側の数を 1 ずつ減らしているんだね」

$$3 + 2 \quad \overset{Ⓑ}{\longrightarrow} \quad 4 + 1 \quad \overset{Ⓑ}{\longrightarrow} \quad 5 + 0 \quad \overset{Ⓐ}{\longrightarrow} \quad 5$$

僕「まさに、その通り！」

ユーリ「足し算が作れるってことは、**引き算**も作れる？」

僕「もちろん作れる」

ユーリ「作ろう、作ろう！」

僕「でも、その前に作らなくちゃいけないものがある」

ユーリ「なになに？」

僕「マイナスの数だよ！」

どの順序数も、それに先立つ順序数すべての集合である。
——フォン・ノイマン[1]

---

[1] John von Neumann, "On the introduction of transfinite numbers", 1923 (English translation: Jean van Heijenoort, "From Frege to Gödel: A Source Book in Mathematical Logic, 1879–1931", 1967).

補足

　集合を表すときに使う { } は、**波カッコ**といいますが、**中カッコ**という場合もあります。英語では、**ブレース**（brace）といいます。

　後続数を表すときに使う**ダッシュ**（′）は、**プライム**という場合もあります。

　集合については、参考文献 [5]『数学ガールの秘密ノート／場合の数』や参考文献 [3]『数学ガール／ゲーデルの不完全性定理』も参照してください。

　ユーリはもう忘れてしまったようですが、ゼロというものやイチというものについて考えた対話は、参考文献 [8]『数学ガールの秘密ノート／行列が描くもの』にも描かれています。

第1章の問題

●**問題 1-1**（共通部分と和集合）
①〜④を求めてください。

① $\{1,3,5\}$ と $\{1,2,3\}$ の共通部分 $\{1,3,5\} \cap \{1,2,3\}$
② $\{1,3,5\}$ と $\{1,2,3\}$ の和集合 $\{1,3,5\} \cup \{1,2,3\}$
③ $\{1,2,3\}$ と $\{4,5,6\}$ の共通部分 $\{1,2,3\} \cap \{4,5,6\}$
④ $\{1,2,3\}$ と $\{4,5,6\}$ の和集合 $\{1,2,3\} \cup \{4,5,6\}$

（解答は p. 242）

●問題 1-2 （4 を作ろう）

ノイマンの方法で 4 を作り、数字を使わず波カッコだけで表
してください。

$$0 = \{\}$$
$$1 = \{\{\}\}$$
$$2 = \{\{\}, \{\{\}\}\}$$
$$3 = \{\{\}, \{\{\}\}, \{\{\}, \{\{\}\}\}\}$$
$$4 = ?$$

（解答は p. 244）

●問題 1-3（ツェルメロの方法で 4 を作ろう）

数学者ツェルメロは次のように 0, 1, 2, 3, . . . を作りました。

$$0 = \{\}$$
$$1 = \{0\}$$
$$2 = \{1\}$$
$$3 = \{2\}$$
$$\vdots$$

すなわち、ツェルメロの方法では n の後続数 n′ を、

$$n' = \{n\}$$

として定義します。ツェルメロの方法で 4 を作り、数字を使わず波カッコだけで表してください。

（解答は p. 246）

●**問題 1-4**（0 を集めて数を作る）

ある人が、集合を使って次のように数を作ろうと考えました。

$$0 = \{\,\}$$
$$1 = \{0\}$$
$$2 = \{0, 0\}$$
$$3 = \{0, 0, 0\}$$
$$4 = \{0, 0, 0, 0\}$$
$$\vdots$$

つまり、要素 0 の個数を使って数を作ろうとしたのです。しかし、この方法では無数の数を作ることはできません。どうしてですか。

（解答は p. 247）

●**問題 1-5**（足し算ルール）

第1章本文では足し算ルールとして、どんなノイマンの数 m, n に対しても、

足し算ルール Ⓐ　$n + 0 = n$

足し算ルール Ⓑ　$m + n' = m' + n$

が成り立つと定めていました（p.38 と p.39）。このうちⒷ の代わりに次の足し算ルールⒸを使うこともできます。

足し算ルール Ⓒ

どんなノイマンの数 m, n に対しても、次の式が成り立つことにします。

$$m + n' = (m + n)'$$

足し算ルール Ⓐ と Ⓒ を使い、ノイマンの数で、

$$3 + 2 = 5$$

が成り立つことを確かめましょう。

（解答は p.249）

●**問題 1-6**（大小関係）

ノイマンの方法で作った二つの数 m と n の大小関係

$$m < n$$

を定義してください。

ヒント：ノイマンの数 m と n は集合を使って作りました。ですから、私たちが考える大小関係が成り立つように、集合を使って定義します。

（解答は p. 250）

第2章
$-1, -2, -3, \ldots$ を作ろう

"うまく作れたかどうかは、使ってみればわかる。"

2.1 引き算をしたい

僕「ノイマンの数で、$2 + 3 = 5$ のように足し算はできる。でも、ノイマンの数で引き算はうまくできないことがある」

ユーリ「足し算ルールを作ったみたいに、引き算ルールを作ればいーのでは？」

僕「そうは行かないんだ。ノイマンの数は $0, 1, 2, 3, \ldots$ なので、マイナスの数がない。つまり**非負整数**なんだ」

ユーリ「ひふせいすう？」

僕「負じゃない整数、マイナスじゃない整数のこと。僕たちが作ってきた $0, 1, 2, 3, \ldots$ は非負整数」

ユーリ「非・負・整数ね。わかった」

僕「非負整数 $0, 1, 2, 3, \ldots$ には、マイナスの数がない。だからたとえば、$2 - 3$ のような引き算はできないことになる」

ユーリ「$2 - 3 = -1$ にしたいけど、-1 がないからってこと？」

僕「そういうこと。僕たちがノイマンの方法で作った 0, 1, 2, 3, . . .
　　　には −1 がない。だから −1 を作る必要がある」

ユーリ「−1 を作る……」

　　ユーリの栗色の髪が輝く。思考モードに入ったのだ。

僕「……」

ユーリ「……無理っぽい」

僕「いまの時間、ユーリは何を考えていたの？」

ユーリ「1 は 0 の次の数じゃん？」

僕「うん。1 は 0 の後続数として作った。1 = 0′ だね」

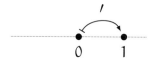

ユーリ「だから −1 は 0 の前の数にするのかなって思った」

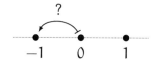

僕「おお！」

ユーリ「1 を作るときの逆をすれば、−1 が作れるって思ったけ
　　　ど……でも無理。だってノイマンの方法だと空集合を 0 にす
　　　るよね？

$$0 = \{\}$$

その空集合から要素を増やして 1, 2, 3, ... を作ったけど、逆に空集合から要素を減らすなんてできないもん！」

僕「ユーリはすごいよ。1 を作る逆の操作で −1 を作ろうと考えたんだね。でも、確かにユーリの考えた通り、空集合から要素を減らすのは無理だね。空集合は要素を一つも持たないから、要素を減らしようがない。だから、ノイマンの方法で −1 を作るのはできそうもない」

ユーリ「ダメじゃん！ どーすんの？」

2.2 整数を作りたい

僕「僕たちは、集合を使って非負整数、

$$0, 1, 2, 3, \ldots$$

を作れた。そして、どこまでも続けることができる。また、足し算ルールを決めて足し算ができるようにした。引き算もできるようにしたい。でも、−1 がないから 2 − 3 が計算できない」

ユーリ「−1 だけじゃなくて、−2 も −3 もないよ」

僕「そうだね。非負整数には −1, −2, −3, ... がない。僕たちが期待する引き算をするためには、

$$\ldots, -3, -2, -1, 0, 1, 2, 3, \ldots$$

のようにプラスとマイナスの両方にずっと続く数が要る。つまり**整数**を作る必要があるんだね」

ユーリ「そーなるねー……」

僕「そこで、整数を新たに作ろうと思う」

ユーリ「えーっ、また空集合からやり直すのー？」

僕「いやいや、そうじゃない。僕たちの手には非負整数がある。だから、**非負整数を使って整数を作っていく**」

ユーリ「でも、非負整数をいくら足してもマイナスの数は出てこないじゃん」

僕「確かに出てこない。だから新たな発想が必要になる。マイナスの数を作る第一歩として、−1 について考えてみよう」

ユーリ「第一歩かあ……」

僕「ユーリは、−1 って、どんな数だと思う？」

2.3 −1 を作りたい

ユーリ「−1 がどんな数って言われましてもねー……」

ユーリは口をとがらせた。

僕「じゃ、−1 は、どんな数であってほしいと思う？」

ユーリ「うーん……たとえば、0 より小さい数？」

僕「なるほど。確かに −1 は 0 より小さくなってほしいね」

ユーリ「−1 は、0 より 1 だけ小さい数。0 − 1 だもん」

僕「とすると、−1 = 0 − 1 という式が成り立ってほしいわけだ」

$$-1 = 0 - 1 \qquad \text{この式が成り立ってほしい}$$

ユーリ「そーだけど……いま引き算のために −1 を作りたいんだから、引き算で −1 を定義しちゃダメじゃないの？」

僕「ユーリは正しい。−1 = 0 − 1 になってほしいけれど、これをそのまま −1 の定義にはできない。引き算をそもそも定義してないわけだから。でも、ここに素敵なアイディアがある」

ユーリ「素敵なアイディアって、何？」

僕「−1 を定義するのに、0 と 1 という二つの数のペアを使うというアイディアだよ！」

ユーリ「んんん？」

2.4 ペアを作る

僕「0 と 1 という非負整数を二つ並べて、

$$(0, 1)$$

とする。これを 0 と 1 の**ペア**と呼ぶことにしよう」

ユーリ「ペア」

僕「0 と 1 のペアは、非負整数 0 と、非負整数 1 をこの順序で並べたもののこと。だから、ペア $(0, 1)$ は集合 $\{0, 1\}$ とは違う。

　　　集合では要素を並べる順序は重要じゃなくて $\{0, 1\} = \{1, 0\}$
　　　だった。でもペアでは、順序を考えて $(0, 1)$ と $(1, 0)$ とは別
　　　のものとして扱うことにする」

ユーリ「ふーん……」

僕「そして、$(0, 1)$ というペアを -1 のように扱えないかと考える」

ユーリ「ペア $(0, 1)$ に -1 のシールを貼るってこと？ つまり、

$$-1 = (0, 1)$$

　　　のように定義するの？」

僕「そういうこと。でもまずはペア $(0, 1)$ を、整数の -1 みたい
　　　なものと軽く考えて先に進むことにする」

ユーリ「えーっ？」

僕「この みたいなもの は後でちゃんと解決するから大丈夫。非負
　　　整数を二つ並べたペアを考えるのは、すごくおもしろい話に
　　　つながっていくんだよ」

ユーリ「よくわかんないから、おもしろくない」

僕「まだ何も話してないからね。順を追って進んでいこう」

ユーリ「ほんとに、おもしろくなるのー？」

2.5 −2 を作りたい

僕「いま僕たちは、非負整数を二つ並べて作ったペア $(0, 1)$ を整数の −1 みたいなものだと考えている。それは −1 = 0 − 1 が成り立ってほしいから。こんなイメージだね」

整数 −1　←----→　ペア $(0, 1)$

ユーリ「ふーん……イメージね」

僕「するとペア $(0, 2)$ は、整数の −2 みたいなものだといえる」

整数 −2　←----→　ペア $(0, 2)$

ユーリ「−2 = 0 − 2 だから、0 と 2 のペア $(0, 2)$ を考えた？」

僕「そうそう」

ユーリ「ははーん……わかってきた！ −1, −2, −3, ... みたいなものとして、ペアを使うんでしょ！」

$$-1 \quad -2 \quad -3 \quad \cdots$$
$$\updownarrow \quad \updownarrow \quad \updownarrow$$
$$(0, 1) \quad (0, 2) \quad (0, 3) \quad \cdots$$

僕「ユーリは鋭いな！ 非負整数は 1, 2, 3, ... とずっと続けられるから、僕たちがいま考えているペアも、

$$(0, 1), (0, 2), (0, 3), \ldots$$

のようにずっと続けられる」

ユーリ「それはわかる」

僕「でもペアで表せるのはそれだけじゃない。ペア $(0,0)$ を使って、整数の 0 みたいなものも表せる」

ユーリ「おーっ！ そっか、$0 = 0 - 0$ だもんね！」

僕「$1 = 1 - 0$ だから、ペア $(1,0)$ を整数の 1 みたいなものだと考えて――」

ユーリ「ペアで整数みたいなものを作れちゃうんだ！」

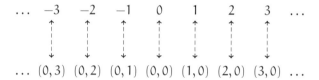

僕「その通り！ 非負整数でペア (m, n) を作る。そして、そのペア (m, n) を整数 $m - n$ のようなものだと見なす――これは素敵なアイディアだよ！」

ユーリ「なるほどにゃあ……ペアにしたから、プラスにもマイナスにも無限に続けられるね！」

2.6 符号反転できる

僕「無限に続けられるだけじゃないよ。ペアの左右を交換することは、整数の**符号反転**に対応してくれる。プラスとマイナスを反転させるわけだ」

$$+3 \quad \longleftrightarrow \quad (3,0)$$
$$\downarrow \qquad\qquad \times$$
$$-3 \quad \longleftrightarrow \quad (0,3)$$

ユーリ「なーるほど。$(3,0)$ の 3 と 0 を交換した $(0,3)$ は符号が逆になるってことかー。あっ、そりゃそーだね。

$$m - n = -(n - m)$$

だもん」

僕「そうそう。それからね、ペア $(0,0)$ の場合には左右を交換しても何も変わらない。それは整数 0 がプラスでもマイナスでもないことにうまく対応している。ペアが整数みたいなものに見えてくるよね」

$$0 \quad \longleftrightarrow \quad (0,0)$$
$$\downarrow \qquad\qquad \times$$
$$0 \quad \longleftrightarrow \quad (0,0)$$

ユーリ「うんうん。何だかプラスとマイナスを作ってるみたい。

- ペア $(m,0)$ は、整数 m みたいなもの
- ペア $(0,0)$ は、整数 0 みたいなもの
- ペア $(0,n)$ は、整数 $-n$ みたいなもの

うん、ちょっとおもしろくなってきたかも」

僕「そうか、ええとね、念のために注意しておくけど……」

ユーリ「注意？」

2.7 その3は何の3か

僕「僕たちはいま、ペア $(3, 0)$ が整数 3 のようなものと考えているけれど、整数 3 は、ペア $(3, 0)$ の左にある 3 とは違う」

ユーリ「は？」

僕「ペア $(3, 0)$ の左にある 3 は、あくまで非負整数。つまり、僕たちがノイマンの方法で作ったノイマンの数だよね。僕たちはノイマンの数を二つ並べたペアで整数のようなものを作ろうとしているんだから、ペア $(3, 0)$ の 3 を整数だと考えちゃうとおかしなことになる」

ユーリ「うっわー、超めんどくさいこと言い出したね？」

僕「でも、何を言ってるかはわかるよね。ペア $(3, 0)$ の 3 を整数だと考えると、大混乱になる」

ユーリ「整数を作ろうとしてペアを考えているんだから、ペアを作るのに整数を使っちゃダメ」

僕「そういうこと。そうだ、数の表記法を変えた方がはっきりするかも。たとえば、整数は□で囲んで、ノイマンの数つまり非負整数は○で囲んでみようか」

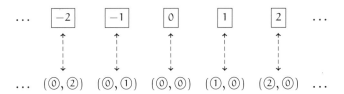

ユーリ「えー！ かえって読みにくいよー。ペアの中に出てくる
のはノイマンの数なんだから、書き分けなくてもわかるし、
忘れないって」

僕「だったらいいよ。じゃ、次にペアの足し算を定義してみよう」

ユーリ「ふむふむ！」

2.8 ペアの足し算を作ろう

僕「僕たちはペアの足し算として、

$$(2,0) + (3,0) = (5,0)$$

になったらいいなあと思う。思うよね？」

ユーリ「ははーん……これは $2 + 3 = 5$ になってほしいから？」

$$
\begin{array}{ccccc}
\text{ペア} & (2,0) & + & (3,0) & = & (5,0) \\
& \updownarrow & & \updownarrow & & \updownarrow \\
\text{整数} & 2 & + & 3 & = & 5
\end{array}
$$

僕「まさにそう。ペアの足し算を、整数の足し算みたいなものに
したいから。同じように、

$$(0,2) + (0,3) = (0,5)$$

になるといいなあと思う」

ユーリ「こっちは整数の足し算で $(-2) + (-3) = (-5)$ だね」

$$\begin{matrix} \text{ペア} & (0,2) & + & (0,3) & = & (0,5) \\ & \updownarrow & & \updownarrow & & \updownarrow \\ \text{整数} & (-2) & + & (-3) & = & (-5) \end{matrix}$$

僕「うん。だからペアの足し算として、

$$(m, n) + (x, y) = (m + x, n + y)$$

　が成り立ってほしい」

ユーリ「成り立ってほしいから、それをルールにしちゃうんで
　　しょ？ お兄ちゃんの話、パターンがわかってきたよ」

僕「そりゃいいね！ ペアの足し算ルールをこう決めよう」

ペアの足し算ルール

m, n, x, y を非負整数とします。このとき、ペア (m, n) とペ
ア (x, y) の足し算 $(m, n) + (x, y)$ を、

$$(m, n) + (x, y) = (m + x, n + y)$$

で定義します。

ユーリ「オッケー。ペアの足し算を作ったんだね」

僕「念のために注意しておくけど——」

ユーリ「また、めんどくさい話？」

僕「+ という記号の話。ペアの足し算ルール、

$$(m, n) + (x, y) = (m + x, n + y)$$

には三箇所に + が出てきてるけど、実は二種類の + が混在してるんだ。こんなふうに色分けできる。

$$(m, n) \blacksquare (x, y) = (m + x, n + y)$$

■ はペア同士の足し算を表すプラスの記号。+ は非負整数同士の足し算を表すプラスの記号」

ユーリ「おー……」

僕「m, n, x, y は非負整数だから、$m + x$ と $n + y$ は定義されている。ペアの足し算（■）を、非負整数の足し算（+）を使って定義しているのがわかるね」

ユーリ「ふむふむ」

僕「これでペアの足し算はできるけれど——」

ユーリ「ちょっと待って、お兄ちゃん。ペアが整数みたいなものだとしたら、ペアの引き算も作れる？」

僕「うん、作れるけど……」

ユーリ「作って！」

2.9 ペアの引き算を作ろう

僕「ペアの引き算では、ペアの左右の交換が符号反転みたいなものだということを利用するんだ」

> **ペアの引き算ルール**
>
> m, n, x, y を非負整数とします。このとき、ペア (m, n) とペア (x, y) の引き算 $(m, n) - (x, y)$ を、
>
> $$(m, n) - (x, y) = (m, n) + (y, x)$$
>
> で定義します。

ユーリ「ははーん。(x, y) を引く代わりに (y, x) を足すんだね！ 3 を引く代わりに −3 を足すみたいに！」

僕「そういうこと。ところで、引き算の話を深める前にそろそろ、

整数みたいなもの

を解決しておきたい」

ユーリ「おっ、いよいよ？」

2.10 「みたいなもの」を解決しよう

僕「ここまで僕たちは、非負整数を使ってペアを作り、ペアの足し算ルールを決めた。だから、こんな足し算ができるようになった」

$$(2, 0) + (3, 0) = (2 + 3, 0 + 0) = (5, 0)$$
$$(0, 2) + (0, 3) = (0 + 0, 2 + 3) = (0, 5)$$

ユーリ「うん。ちょうど整数の足し算と同じになるんでしょ。て

ゆーか、整数の足し算と同じになるように、ペアの足し算
ルールをうまく決めたんだよね。

$$\text{ペア}\quad (2,0) + (3,0) = (5,0)$$

$$\text{整数}\quad 2\ +\ 3\ =\ 5$$

マイナス同士の足し算もうまくいく。

$$\text{ペア}\quad (0,2) + (0,3) = (0,5)$$

$$\text{整数}\quad (-2) + (-3) = (-5)$$

うまく決めたんだから、そりゃうまくいくよね。ペアを使っ
て整数ができた！」

僕「そこだよ。ペアの足し算は整数の足し算みたいなものだけど、
このままじゃ、ぴったり同じにはならない」

ユーリ「そーかなー。ちゃんと足し算できたじゃん。符号反転を
使って引き算もできるし」

僕「じゃ、**クイズ**にしてみるね。ペアの足し算が、整数の足し算
とうまく対応しないような例を見つけられるかな？」

クイズ
ペアの足し算が、整数の足し算とうまく対応しない例を見つ
けましょう。

ユーリ「えっ？……」

僕の問いかけで、ユーリは急に真剣な表情になった。

僕「……」

ユーリ「$2 + 3 = 5$ になるし、$(-2) + (-3) = (-5)$ になる。プラスとプラス、マイナスとマイナス……」

僕「……」

ユーリ「わかった！ プラスとマイナスでおかしくなる！ たとえば、3 と -3 を足しても、0 にならない！」

僕「気付いたね」

ユーリ「ペア $(3,0)$ と $(0,3)$ を足したら、$(3,3)$ になっちゃう。$(0,0)$ にしたいのに！」

$$
\text{ペア} \quad (3,0) + (0,3) = (3+0, 0+3) = (3,3)
$$

$$
\text{整数} \quad 3 \quad + \quad (-3) \qquad\qquad\qquad = \quad 0
$$

僕「その通り！ 整数 0 になってほしいからペア $(0,0)$ になってほしいんだけど、ペア $(3,3)$ になってしまう」

ユーリ「3 と -3 だけじゃなくて、1 と -1 もだよ！ ペア $(1,0)$ と $(0,1)$ を足したら、$(1,1)$ になっちゃう」

$$\text{ペア} \quad (1,0) + (0,1) = (1+0,0+1) = (1,1)$$

$$\text{整数} \quad 1 \quad + (-1) \qquad\qquad = \quad 0$$

僕「そうなる。だから、非負整数のペアをそのまま整数だとは言えない。うまく対応が付かないから」

ユーリ「ペアが整数だと思ったのに、惜しい！ どーすんの？」

2.11 整数0を作ろう

僕「ユーリが言ってくれたことにヒントがある。整数0に対応するペア $(0,0)$ になってほしいのに、$(1,1)$ や $(3,3)$ になってしまうことがあるので困った」

ユーリ「うん、そーだね」

僕「でも、よく考えてみると、$(1,1)$ というペアは、

$$0 = 1 - 1$$

という等式を満たしているし、$(3,3)$ というペアは、

$$0 = 3 - 3$$

という等式を満たしているよね」

ユーリ「おっ？ そーか……だったら、ペア $(1,1)$ も、ペア $(3,3)$ も、ペア $(0,0)$ と同じように整数0みたいなもの？」

僕「そうだね。整数0みたいなペアは無数にある。つまり、

$$(0,0), (1,1), (2,2), (3,3), \ldots, (m,m), \ldots$$

たちのこと」

ユーリ「整数 0 みたいなペア $(0,0)$ の仲間たち？」

僕「まさにそう！ 非負整数 m に対して、

$$(m, m)$$

という形のペアはすべて、

$$0 = m - m$$

が成り立っている。ペア (m, m) はすべて、整数 0 みたいな
仲間たち。

$$整数 0 \quad \longleftarrow\text{-----}\longrightarrow \quad ペア (m, m)$$

そこで、その仲間たちをすべて等しいと見なすことにしよう」

ユーリ「どーゆー意味？」

僕「つまり、二つのペアが等しいとはどういう意味かを定義する
んだ。ペアに対するイコール（＝）を定義するといってもい
いよ」

ユーリ「おもしろーい！ そんなの、定義できるんだ！」

僕「僕たちはペアという数学的対象を導入した。だから、ペア同
士が等しいとはどういうことかは、僕たちが考えなくちゃい
けないんだね。整数を作るために」

ユーリ「それでそれで？」

僕「(m, m) という形をしたペアはすべて等しいとする。つまり、

$$\text{整数}\,0 = (0,0) = (1,1) = (2,2) = (3,3) = \cdots$$

が成り立つと決める。そうすれば、ペアと整数の対応もうまく付くことになる」

$$\text{ペア} \quad (3,0) + (0,3) = (3,3) = (0,0)$$

$$\text{整数} \quad 3 \;+\; (-3) = \;\; 0 \;\; = \;\; 0$$

ユーリ「おおお……」

2.12 整数 1 を作ろう

僕「整数 0 と同様に、整数 1 を作ってみよう。整数 1 に等しいペアはわかる？」

ユーリ「……わかる。整数 1 みたいなペア $(1,0)$ の仲間だから、

$$
\begin{array}{rcl}
1 = 1 - 0 & \longleftrightarrow & (1,0) \\
1 = 2 - 1 & \longleftrightarrow & (2,1) \\
1 = 3 - 2 & \longleftrightarrow & (3,2) \\
1 = 4 - 3 & \longleftrightarrow & (4,3) \\
\vdots & \vdots & \vdots
\end{array}
$$

になって、

$$\text{整数}\,1 = (1,0) = (2,1) = (3,2) = (4,3) = \cdots$$

でしょ？」

僕「大正解だね！ ちゃんとユーリはわかってる」

ユーリ「だよね。だって、

$$1 = (m + 1) - (m)$$

だから、$m + 1$ と m のペア $(m + 1, m)$ はどれでも整数 1 みたいなものだもん」

整数1　←----→　ペア $(m + 1, m)$

僕「そういうこと。もうすっかりわかったよね。たとえば、整数 −1 を作りたかったら──」

2.13 整数 −1 を作ろう

ユーリ「整数 −1 を作りたかったら、$(m, m + 1)$ という形のペアを等しいとしちゃう」

僕「そうだね！」

整数 $-1 = (0, 1) = (1, 2) = (2, 3) = (3, 4) = \cdots$

ユーリ「だって、

$$-1 = (m) - (m + 1)$$

だもんね」

僕「そう考えてもいいし、整数 1 を表すペア $(m + 1, m)$ の左右を交換して符号反転するのもいいね」

ユーリ「なーるほど！」

2.14 整数を作ろう

僕「さあ！ これで僕たちは、ペアを使って、整数を作ったことに
なる。具体的に並べてみよう！」

$$\vdots$$

$$\text{整数 } -3 = (0,3) = (1,4) = (2,5) = (3,6) = \cdots$$

$$\text{整数 } -2 = (0,2) = (1,3) = (2,4) = (3,5) = \cdots$$

$$\text{整数 } -1 = (0,1) = (1,2) = (2,3) = (3,4) = \cdots$$

$$\text{整数 } 0 = (0,0) = (1,1) = (2,2) = (3,3) = \cdots$$

$$\text{整数 } 1 = (1,0) = (2,1) = (3,2) = (4,3) = \cdots$$

$$\text{整数 } 2 = (2,0) = (3,1) = (4,2) = (5,3) = \cdots$$

$$\text{整数 } 3 = (3,0) = (4,1) = (5,2) = (6,3) = \cdots$$

$$\vdots$$

ユーリ「ずらっと並べたねー……あっ、こんなふうに並べた方が
仲間がわかりやすいよ！」

$\cdots$	-3	-2	-1	0	1	2	3	$\cdots$
	$\shortparallel$	$\shortparallel$	$\shortparallel$	$\shortparallel$	$\shortparallel$	$\shortparallel$	$\shortparallel$	
$\cdots$	$(0,3)$	$(0,2)$	$(0,1)$	$(0,0)$	$(1,0)$	$(2,0)$	$(3,0)$	$\cdots$
$\cdots$	$(1,4)$	$(1,3)$	$(1,2)$	$(1,1)$	$(2,1)$	$(3,1)$	$(4,1)$	$\cdots$
$\cdots$	$(2,5)$	$(2,4)$	$(2,3)$	$(2,2)$	$(3,2)$	$(4,2)$	$(5,2)$	$\cdots$
$\cdots$	$(3,6)$	$(3,5)$	$(3,4)$	$(3,3)$	$(4,3)$	$(5,3)$	$(6,3)$	$\cdots$

僕「確かに。整数を横に並べて、対応しているペアを縦に並べた
んだね。数直線上の整数を考えるみたいに」

数直線上の整数

ユーリ「……」

僕「ユーリ？」

ユーリ「……わかったかも！ お兄ちゃん、ユーリわかったよ、ペア (m, n) の意味！ ねえ、聞いてよ！」

僕「聞いてるよ」

ユーリ「整数 $m - n$ みたいなものを表すのがペア (m, n) じゃん。それで m と n は非負整数だから $0, 1, 2, 3, \ldots$ だよね」

僕「うん」

ユーリ「ペア (m, n) は、右に m 歩、左に n 歩進んでるよね！」

僕「ああ、なるほど。そうだね！」

ユーリ「ペアの足し算と整数の足し算の関係もわかったよ！ たとえば、

$$(3, 0) + (0, 3) = (3, 3)$$

はこーなるでしょ？」

- 整数 0 から《右に 3 歩、左に 0 歩》進んで、
- そこからさらに《右に 0 歩、左に 3 歩》進むと、
- 整数 0 から《右に 3 歩、左に 3 歩》進んだことになって、
- 結局、整数 0 のところに立ってる

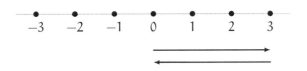

僕「確かにそうだ」

ユーリ「ペアを考えてるときは《右に何歩、左に何歩》進んだか
を考えていて、整数を考えてるときは結局最後にいる場所に
ついて考えてるんだ！ あー、スッキリした！」

僕「確かに。ペアは右と左にそれぞれ何歩進むかを表していて、
整数は数直線のどの位置にいるかを表している。だから、

$$整数 0 = (0,0) = (1,1) = (2,2) = (3,3) = \cdots$$

では、整数 0 という同じ位置にいるペアをすべて等しいと見
なしたことになるわけだ。《同じ位置にいる》という意味で
同一視できるペアなんだね」

ユーリ「同じ位置にいるペアは仲間！」

2.15 図に描こう

僕「ユーリは数直線で考えたけど、ペア (m, n) は二つの数の組だ
から、座標平面上の点を使ってペアを表すこともできるよ」

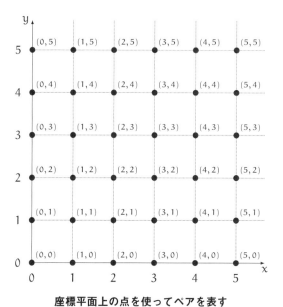

座標平面上の点を使ってペアを表す

ユーリ「あっ、これもおもしろい！」

僕「整数 0 は、(m, m) の形をしたペアだから、こんなふうに $(0, 0)$ から右上に向かって並ぶ点になる」

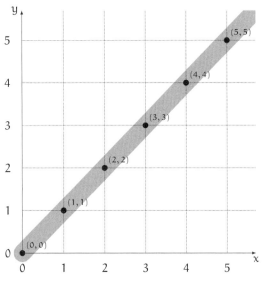

整数 0 は、(m, m) の形をしたペア

ユーリ「$(0, 0) = (1, 1) = (2, 2) = (3, 3) = \cdots$ なるほど！」

僕「同じように、整数 1 は、$(m+1, m)$ の形をしたペアで、こんなふうに $(1, 0)$ から右上に向かって並ぶ点になる」

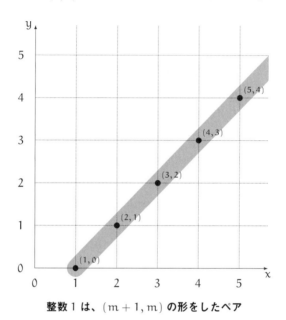

整数 1 は、$(m+1, m)$ の形をしたペア

ユーリ「$(1, 0) = (2, 1) = (3, 2) = (4, 3) = \cdots$ 確かに！」

僕「それから $(m, m+1)$ は——」

ユーリ「$(0, 1)$ から斜めに並ぶ点でしょ？ もーわかったよー」

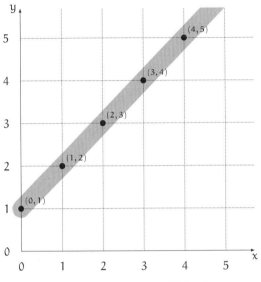

整数 -1 は、$(m, m+1)$ の形をしたペア

僕「要するに、こんなふうに斜めに並んだ点を等しいと見なしてることになる」

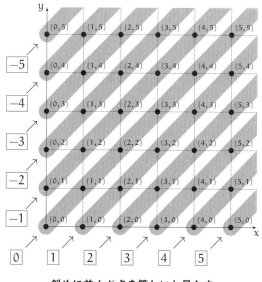

斜めに並んだ点を等しいと見なす

ユーリ「なるほどにゃあ！ おもしろーい！」

2.16 ベクトルの足し算

僕「座標平面で考えると、足し算がこれまたおもしろいよ。ペアの足し算が**ベクトルの足し算**に相当するからね」

ユーリ「ベクトルの足し算？」

僕「ベクトルの足し算は、こんなふうに二つの矢印から平行四辺

形の対角線の矢印を得る計算。実際にやってるのは、二つの
点の x 座標同士と y 座標同士を足す計算になる。つまり、ペ
アの足し算ルールと同じことになる」

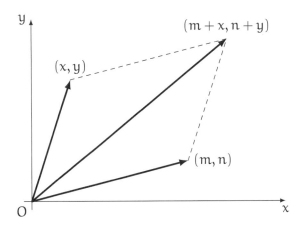

ベクトルの足し算

$$(m, n) + (x, y) = (m + x, n + y)$$

ユーリ「……」

僕「例を挙げようか。たとえば整数 3 と整数 −3 を足すときに、
　ペア $(3, 0)$ とペア $(0, 3)$ を足すと $(3, 3)$ になる。そしてよく
　見ると、ペア $(3, 3)$ はちゃんと整数 0 に等しくなる」

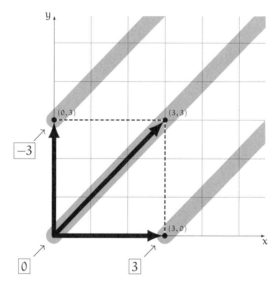

$(3, 0) + (0, 3) = (3, 3)$ は整数 0 に等しいペアになる

ユーリ「これ、たとえば $4 - 3 = 1$ でもうまくいく？」

僕「引き算は足し算に変換して、

$$(4, 0) - (3, 0) = (4, 0) + (0, 3) = (4, 3)$$

だよね。ほら、うまくいくよ」

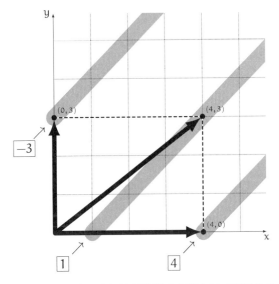

$(4, 0) + (0, 3) = (4, 3)$ **は整数 1 に等しいペアになる**

ユーリ「ほんとだ。あっ、じゃあ $2 - 3 = -1$ になるわけだよね？」

僕「2 − 3 = −1 はたとえば、

$$(2, 0) - (3, 0) = (2, 0) + (0, 3) = (2, 3)$$

として、やっぱりうまくいく」

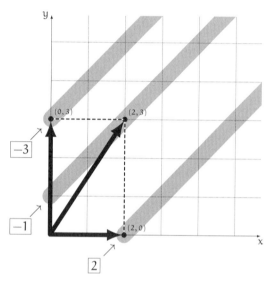

$(2, 0) + (0, 3) = (2, 3)$ は整数 −1 に等しいペアになる

ユーリ「おもしろい……」

僕「$(m, 0)$ や $(0, n)$ の形でなくてもうまくいくよ。たとえば、同じ $2 - 3 = -1$ を計算するのに、別のペアを使ってもいい。

$$(3, 1) - (4, 1) = (3, 1) + (1, 4) = (4, 5)$$

になるから、やっぱりうまくいく[*1]」

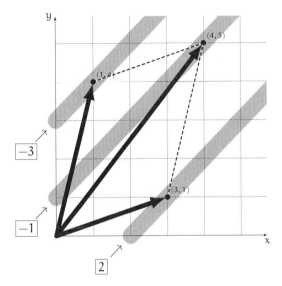

$(3, 1) + (1, 4) = (4, 5)$ **は整数 -1 に等しいペアになる**

ユーリ「わかった！ あのね、さっきユーリは数直線で右と左に歩いたじゃん？ (m, n) というペアは右に m 歩、左に n 歩進むみたいなもの」

僕「そうだね」

[*1] 等しい整数を表すと定めたペアのどれを使っても計算が「うまくいく」ことを、一般に "well-defined" といいます。

ユーリ「この座標平面でも同じことができる。右と左じゃなくて、右と上なの！ (m, n) というペアは右に m 歩、上に n 歩進むみたいなもの。だから、なんてゆーか……うまくいく！」

僕「なるほどなあ……」

ユーリ「すっごくおもしろい！　わかるとおもしろいね！」

僕「わかったところで、二つのペアの《等しい》を改めて定義しようか」

ユーリ「え？」

僕「え？」

2.17　ペアの《等しい》を定義しよう

ユーリ「二つのペアが等しいことって、もう定義したよね」

僕「具体例では考えたけど、まだ一般的には考えていなかったよ。うーん、じゃあね、**クイズ**にしようか。ユーリが考える定義を答えて」

> **クイズ**
>
> m, n, x, y は非負整数とします。このとき、二つのペア (m, n) と (x, y) が等しいことを、m, n, x, y を使って定義してください。
>
> $$(m, n) = (x, y) \Longleftrightarrow ?$$

ユーリ「お？ え？ えっと、だって……あれ？」

僕「難しい？」

ユーリ「んにゃ。ぜんぜん難しくない。だって、$(m, n) = (x, y)$ になるのは、

$$m - n = x - y \qquad (?)$$

のときじゃないの？」

僕「そう考えたくなるよね。でも違うんだ」

ユーリ「えーっ！ じゃあ、さっきまで考えてたのは何だったんだー！ だって、たとえば整数 -1 だったら、

$$整数 -1 = (0, 1) = (1, 2) = (2, 3) = (3, 4) = \cdots$$

だったじゃん！ やっぱり、$m - n = x - y$ のときに $(m, n) = (x, y)$ になるんじゃないの？」

僕「m, n, x, y って何？」

ユーリ「m, n, x, y は非負整数だけど……あうっ！ 非負整数は、引き算ができないんだった」

僕「そうなんだ。もともと僕たちは引き算ができる数を作りた
　　かった。そして……

- 引き算ができる数を作りたい。
- 非負整数では引き算ができない。
- マイナスの数が必要だ。
- まずは、−1 を作ろう。
- −1 は 0 − 1 を使って定義したい。
- でも、非負整数で引き算はできない。
- そこでペア (0, 1) を考えよう。

　　……と進んできたんだよね。非負整数で引き算はできない。
　　だから、二つのペアが等しいことを非負整数の引き算では定
　　義できない」

ユーリ「うっわー……理屈っぽいけど、確かにそーだね。でも、
　　だったらどーするんだろ」

僕「僕たちが使えるのは非負整数。足し算ならできるよ」

ユーリ「足し算で引き算の代わりにする？」

僕「ある意味ではね」

ユーリ「引き算は使えないけど、$m − n = x − y$ は作りたい……」

　　そしてユーリは思考モードに入った。

僕「……」

ユーリ「……もしかして、入れ換える？　入れ換えて、

$$m + y = x + n$$

　　にする？　これだと、非負整数の足し算しか使ってないよね！」

僕「ユーリは、本当に素晴らしいな！　大正解だよ！」

ユーリ「やった！」

クイズの答え

m, n, x, y は非負整数とします。このとき、二つのペア (m, n) と (x, y) が等しいことを、m, n, x, y を使って次のように定義します。

$$(m, n) = (x, y) \Longleftrightarrow m + y = x + n$$

　　　　　　鴨のように見え、鴨のように泳ぎ、鴨のように鳴くならば、
　　　　　　それは恐らく鴨である。
　　　　　　　　　　　　　　　　——ダック・テスト

補足

　整数の構成については、参考文献 [3]『数学ガール／ゲーデルの不完全性定理』の第2章「ペアノ・アリスメティック」ならびに第8章「二つの孤独が生み出すもの」も参照してください。

　ペア同士の足し算を表すプラスと、非負整数同士の足し算を表すプラスのように、同じ記号を別の意味で使う話題は、参考文献 [8]『数学ガールの秘密ノート／行列が描くもの』の第1章「ゼロを作ろう」にも登場します。

第2章の問題

●**問題 2-1**（ペアで作る整数）

第2章本文ではノイマンの数（非負整数）のペア (m, n) で整数を作りました。たとえば、$(3, 0)$ や $(4, 1)$ は整数 3 を表し、$(0, 1)$ や $(2, 3)$ は整数 -1 を表します。

①〜⑥のペアはどんな整数を表しますか。ただし m, n は非負整数とします。

① $(10, 3)$

② $(3, 10)$

③ $(123, 123)$

④ (m, m)

⑤ $(m + n, n)$

⑥ $(m, m + n)$

（解答は p. 254）

●**問題 2-2**（大小関係）

第2章本文ではノイマンの数（非負整数）のペア (m, n) で整数を作りました。この整数に対して大小関係を定義しましょう。すなわち、m, n, x, y が非負整数のとき、

$$(m, n) < (x, y)$$

を定義してください。ただし、次のことを前提とします。

- 非負整数同士の足し算は定義されています。
- 非負整数同士の大小関係は定義されています（p. 250 の章末問題 1-6 を参照）。
- 非負整数同士の引き算は定義されていません。

（解答は p. 255）

第3章

環を作ろう

"鴨のように見え、鴨のように泳ぐけれど、
鴨のようには鳴かないものを、何と呼べばいいか。"

3.1 テトラちゃん

僕「……そうやって、ユーリと数を作っていたんだ」

テトラ「おもしろいですっ！」

テトラちゃんは両手を高く上げた。

ここは高校の図書室。いまは放課後。

全身でおもしろさを表現している彼女は、僕の後輩だ。

僕は、数を作る話をテトラちゃんに伝えていた。

集合で $0, 1, 2, 3, \ldots$ という非負整数を作り、さらに (m, n) というペアで整数を作る——そんな話を、元気少女のテトラちゃんは熱心に聞いてくれる。

僕「慣れるまでは、ペア (m, n) が整数だなんて思えない。でも、符号反転や、加算や減算などを実際に計算しているうちに、いかにも整数っぽく見えてくるからおもしろい」

テトラ「ですねっ！ そもそも《数を作る》という発想自体がおもしろいですっ！」

僕「それから、ある数について考えるとき、その数だけで考える
　　んじゃなくて全体で考えるのもおもしろいと思うな」

テトラ「全体で考える……といいますと？」

僕「たとえば、-1 を作るとき、-1 はどういう数かを考えるよね」

テトラ「そうですね」

僕「そのときに、-1 だけ見てても何もわからない。-1 という数
　　については、0 と 1 を考えて初めてわかってくる」

テトラ「はい。$-1 = 0 - 1$ のように考えますから」

僕「そうそう。でも考えるのは $0 - 1$ だけじゃない。-1 は $1 - 2$
　　や $2 - 3$ にも等しいわけで……つまり、-1 という数は整数全
　　体の中で整合性を保ちつつ存在しているように感じるんだ」

テトラ「全体で考えるというのはそういう意味ですか」

僕「うん。どれとどれを計算したらどれになるか。それが緊密に
　　整数全体を作っている感じがする」

テトラ「なるほどです……」

僕「あくまで感覚的なものだけどね」

テトラ「感覚といえば——あたしは、先輩の《数を作る》お話を
　　聞いているうちに、学校の授業とは逆転しているみたい……
　　と感じました」

僕「逆転しているって、どういう意味？」

テトラ「えっ、あっ、ええとですね……」

　僕が聞き返すと、テトラちゃんはチャームポイントの大きな目をきょろきょろさせた。でもすぐ、真面目な顔で考え始める。

3.2 逆転の発想

僕「……」

テトラ「……はい。感じたことをちゃんと言葉にしてみますね。学校の授業で数の性質を学びます。たとえば正の数や負の数の足し算や掛け算がどうなるか」

僕「そうだね。交換法則や分配法則なども学ぶ」

テトラ「はい。『数には、こんな性質があるんだなあ』とあたしたちは知ります。たくさん計算問題を解いたり計算ドリルで練習もします。数が持っている性質を覚えて、実際にさっと計算できるようにします」

僕「うん」

テトラ「でも先輩がユーリちゃんとやっていた《数を作る》という活動は、それとは違います。つまりですね、

『数というものには、こんな性質がある』

のように、数の性質を学んでいるのではなく、

『こんな性質を持つ、数というものを作ろう』

のように、性質が先にあるみたいです。逆転してますよね」

僕「なるほど、なるほど」

テトラ「そこには《逆転の発想》といいますか《発想の逆転》が
　　　あるように思いました」

僕「確かにそうだね」

テトラ「数の書き方についてもそうです。0 と書くものにはこう
　　　いう性質があるという方向ではありません。空集合 {} に対し
　　　て 0 と名前を付けました。ですから、0 自体には何も秘密は
　　　隠されていないんです」

僕「秘密？」

テトラ「0 という書き方自体に特別な意味はないということです」

僕「そうそう！ 0 でもゼロでも零でもかまわない。識別するため
　　にそう表現しただけ」

テトラ「たとえ薔薇とは呼ばれなくても、薔薇の花は薔薇の花」

僕「うん。そういう意味」

テトラ「数学でもそうなんですね！」

僕「数学こそ、そうかも。どう書くかは問わない。ただし、どう
　　いう性質を持つかには注目する」

テトラ「……」

僕「そういえば《数を作る》ときに出てくる計算の中には、普段
　　それほど計算とは意識しないものもあるね」

テトラ「といいますと？」

僕「うん。たとえばノイマンの方法で n から n' を得ること——

つまり《後続数を得る》のも計算の一種。そして $n' = n \cup \{n\}$ を使って《1 を加える》という計算を定義した[*1]」

テトラ「あっ、それはあたしも思いました。$n \cup \{n\}$ を見ただけでは《1 を加える》ことになるとは思えません。でもちゃんとその役目を果たしています」

僕「そうだね」

テトラ「数の性質といえば、$0, 1, 2, 3, \ldots$ という数が無限に続くことや、整数が、

$$\ldots, -3, -2, -1, 0, 1, 2, 3, \ldots$$

のように二つの向きに無限に続くということも——もちろん知ってますけど——改めて意識しました」

僕「うんうん。ノイマンの方法で作った非負整数は $0, 1, 2, 3, \ldots$ と続くから、それをペアにして二つの向きに無限に続けられることもわかるね」

$$\ldots, (0,3), (0,2), (0,1), (0,0), (1,0), (2,0), (3,0), \ldots$$

テトラ「はい。好きなだけ 1 を足し続けていけます。整数全体の集合は無数の要素を持っていますから」

僕「うん？」

テトラ「はい？ あ、あたし、何か変なこと言いました？」

僕「いや、変じゃないよ。整数全体の集合は無数の要素を持っ

[*1] 「後続数と和集合」参照（p. 30）。

ている**無限集合**で間違いない。集合を使って定義した後続
数 $n' = n \cup \{n\}$ を使えば非負整数を無数に作れるし、それを
使って整数も無数に作れる。でも一般には、1 を好きなだけ
足し続けられるからといって、必ずしも無数の要素があると
は限らないよね」

テトラ「えっ？」

3.3 時計演算

僕「たとえば、時計。文字盤には $1, 2, 3, 4, 5, 6, 7, 8, 9, 10, 11, 12$
の 12 個の数が並んでいて、1 時間が過ぎるたびに次の数に進
む。1 を好きなだけ足し続けられるけれど、無数の要素があ
るわけじゃない。時計の《時》は、

$$\{1, 2, 3, 4, 5, 6, 7, 8, 9, 10, 11, 12\}$$

という 12 個の要素しかない**有限集合**だ」

テトラ「あっ、それはそうです。だって、時計は時計です。整数
全体の集合とは違いますから。時計だと、12 の次に 1 に戻っ
て、ぐるぐる回ります」

僕「うん。だから、そういうルールを入れれば、整数とすごく似
ている別の数を作れるね。1 を好きなだけ足し続けられるけ
れど有限の要素しかない数」

テトラ「整数と似ているけれど、別の数？ ちょっと意味がわから
ないんですが……」

僕「時計を考えればすぐにわかるよ。たとえば、時計の時針が3を指しているときから2時間経つと時針は5を指す。これはいわば、

$$3 + 2 = 5$$

に相当する。でも時針が5を指しているときから8時間経つと、時針は $5 + 8 = 13$ じゃなくて、1を指す。だから、いわば

$$5 + 8 = 1$$

になるわけだ。13時のことを1時と呼ぶのと同じ」

テトラ「ぐるぐる回るから——ですね」

僕「こういう計算を時計演算と呼ぶこともある。これは、整数を12で割った余りを考えればわかるよ——あっ、でも、数が12個もあると話がややこしくなるから、小さな数でやってみよう。こういう特殊な時計を考えてみる。つまり3時間で1回転する時計」

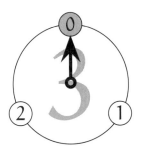

テトラ「まるで3時間で1日になる異世界時計ですね」

僕「そうだね。この世界の時計は 3 に支配されている。この時計
　には 0, 1, 2 の 3 個の数しかない」

テトラ「《1 を加える》たびに針が進んで、0, 1, 2 をぐるぐる繰り
　　　返します」

$$\cdots \to 0 \to 1 \to 2 \to 0 \to 1 \to 2 \to 0 \to 1 \to 2 \to \cdots$$

僕「そういうこと。この時計を使うと、$1 + 2 = 3$ じゃなくて
　$1 + 2 = 0$ になる」

テトラ「$1 + 2 = 0$ という式は、けっこう衝撃的ですね！」

　テトラちゃんはそういって目を丸くする。

3.4　$\mathbb{Z}_3$ における加算と乗算

僕「《整数を 3 で割った余り》を使うと、整数全体の集合 $\mathbb{Z}$ にと
　てもよく似ているけれど新しい数の集合を作れる。いま話し
　た 0, 1, 2 の 3 個の要素しかない集合だよ。この集合に、

$$\mathbb{Z}_3$$

　と名前を付ける。整数を 3 で割った余りは 0, 1, 2 だから、

$$\mathbb{Z}_3 = \{0, 1, 2\}$$

ということ。$\mathbb{Z}_3$ では $\mathbb{Z}$ と同じように計算できるし、好きな
だけ《1 を加える》こともできる。でも整数全体の集合 $\mathbb{Z}$ の
ように要素が無数にあるわけじゃない」

テトラ「3 で割った余り——それでうまく計算ができるんですか」

僕「うん。整数の足し算や掛け算をしてから 3 で割った余りを求
めるだけだよ。たとえば、普通の整数 $\mathbb{Z}$ の足し算では、

$$2 + 2 = 4$$

になる。でも、3 で割った余りを使った $\mathbb{Z}_3$ の足し算では、

$$2 + 2 = 1$$

になる。4 を 3 で割ると余りは 1 だから」

テトラ「$2 + 2 = 1$ という式もかなり衝撃的ですね！」

僕「そうだね。もし $2 + 2 = 1$ が気になるなら、

$$\mathbb{Z}_3 = \{\triangle{0}, \triangle{1}, \triangle{2}\}$$

としておけば、

$$\triangle{2} + \triangle{2} = \triangle{1}$$

になってはっきりするけど、かえって見にくいよね」

テトラ「そうですねえ。3 で割った余りなら、

$$\triangle{1} + \triangle{2} = \triangle{0}$$

や

$$\triangle{2} + \triangle{2} = \triangle{1}$$

になるわけですか。$\mathbb{Z}_3$ の世界に慣れれば、$1 + 2 = 0$ や $2 + 2 = 1$ でもわかりそうです」

僕「そうなるね。$\mathbb{Z}_3$ の世界には $0, 1, 2$ という 3 個の数しかないから、加算表や乗算表は簡単に作れるよ」

テトラ「九九の表みたいに？」

僕「そうそう」

+	0	1	2
0	0	1	2
1	1	2	0
2	2	0	1

×	0	1	2
0	0	0	0
1	0	1	2
2	0	2	1

$\mathbb{Z}_3$ の加算表　　$\mathbb{Z}_3$ の乗算表

テトラ「これはかわいい表ですねっ！」

3.5　$\mathbb{Z}_3$ における減算

僕「じゃ、テトラちゃんにクイズだよ。$\mathbb{Z}_3$ での減算 $0 - 1$ はどうなると思う？」

テトラ「なるほど！ これはあたしもわかります。$0 - 1 = -1$ になってほしいわけですけれど、-1 は $\mathbb{Z}_3 = \{0, 1, 2\}$ のどれにあたるかということですよね。はい、-1 というのは、1 を足したら 0 になる数のはずですから、2 ですっ！ $\mathbb{Z}_3$ の世界では、2 が -1 の役目を果たします。なので、$\mathbb{Z}_3$ では、

$$0 - 1 = 2$$

ですね」

僕「その通り！」

テトラ「同じように考えて、

$$0 - 2 = 1$$

もわかります。ですから、$\mathbb{Z}_3$ の世界では、1 が -2 の役目を果たしてます！」

僕「そうだね。そのことは、$\mathbb{Z}_3$ の加算表で 0 になるところを見ても確かめられるよ。

$$0 + 0 = 0, \quad 1 + 2 = 0, \quad 2 + 1 = 0$$

だから。0 と 0 の組と、1 と 2 の組と、2 と 1 の組は、足し合わせると 0 になる数の組になる」

+	0	1	2
0	0	1	2
1	1	2	0
2	2	0	1

$\mathbb{Z}_3$ の加算表で 0 を探す

3.6 $\mathbb{Z}_3$ における除算

テトラ「加・減・乗・除。$\mathbb{Z}_3$ の除算はどうなるんでしょうか」

僕「ああ……うん、できるできる」

- 加算表で 0 になるところを見つければ、
  $a + b = 0$ になる組が見つかって、$a = -b$ がわかる。
- 乗算表で 1 になるところを見つければ、
  $a \times b = 1$ になる組が見つかって、$a = \frac{1}{b}$ がわかる。

テトラ「逆数（ぎゃくすう）がわかるんですね？」

僕「そうだね。ある数に何を掛けたら 1 になるかがわかる」

×	0	1	2
0	0	0	0
1	0	1	2
2	0	2	1

$\mathbb{Z}_3$ の乗算表で 1 を探す

テトラ「ええと、

$$1 \times 1 = 1, \quad 2 \times 2 = 1$$

になります」

僕「うん、だから、1 の逆数は 1 自身だし、2 の逆数は 2 自身になる。つまり、$\mathbb{Z}_3$ では、

- 1 で割るのは 1 を掛けること
- 2 で割るのは 2 を掛けること

と考えられる」

テトラ「おもしろいです」

3.7 整数の商と剰余

僕「いろいろ $\mathbb{Z}_3$ の計算を考えてきて、これでぐるぐる回る数 $\mathbb{Z}_3$ ができたね。整数のように好きなだけ 1 を足すことができるけれど、3 個しか要素がない。$\mathbb{Z}_3$ の世界では 1 を足していくと、

$$\cdots \to 0 \to 1 \to 2 \to 0 \to 1 \to 2 \to 0 \to 1 \to 2 \to \cdots$$

のようにぐるぐる回る」

テトラ「……」

僕「あれ？ 納得いかない？」

テトラ「そういうわけではないんですが……」

僕「でも、そういう顔をしているよ」

テトラ「整数を 3 で割った余りはわかります。それから、加算表を見て、1 を足していくと 0, 1, 2 がぐるぐる回るのもわかります——でも、どうして 3 で割った余りがぐるぐる回るのか、そこが実はピンと来ていません」

僕「時計のイメージと同じだよ。余りが 2 から 0 に戻るから」

テトラ「……」

僕「だったらね……たとえば、n は 1 ずつ増えていくとして、n を 3 で割った余りを観察しよう。余りも 1 ずつ増えるけれど、余りは 3 になれない。商が 1 増えて余りが 0 に戻る」

テトラ「ははあ、こういうことですね。順番に……」

$$0 \div 3 = 0 \quad 余り0$$
$$1 \div 3 = 0 \quad 余り1$$
$$2 \div 3 = 0 \quad 余り2$$
$$3 \div 3 = 1 \quad 余り0 \qquad 商が1増えて余りが0に戻った$$
$$4 \div 3 = 1 \quad 余り1$$
$$5 \div 3 = 1 \quad 余り2$$
$$6 \div 3 = 2 \quad 余り0 \qquad 商が1増えて余りが0に戻った$$
$$7 \div 3 = 2 \quad 余り1$$
$$8 \div 3 = 2 \quad 余り2$$
$$\vdots$$

僕「そうだね。こんな表にして3ごとに区切ってみようか」

整数 n	⋯	−3	−2	−1	0	1	2	3	4	5	6	7	8	⋯
商 q	⋯	−1	−1	−1	0	0	0	1	1	1	2	2	2	⋯
余り r	⋯	0	1	2	0	1	2	0	1	2	0	1	2	⋯

整数 n を 3 で割った商 q と余り r

テトラ「なるほど。余りは確かに0,1,2を繰り返しますね」

僕「ところで、ちょっと気になったんだけど……テトラちゃんは、整数を3で割ったときの余りが、どう**定義**されているか知ってる?」

テトラ「余りに定義ってあるんですか?」

僕「もちろん!」

テトラ「それはそうですよね。3 で割った余りというのは、3 で
　　　割ったときの残り……3 をできるだけ引いて、引けなくなっ
　　　たときの……すみません。あたし、説明できません」

僕「具体的にはこうなるよ」

整数の商と剰余（3 で割った場合）

どんな整数 n に対しても、次の式を満たす二つの整数 q と r
が存在する。

$$n = 3q + r \qquad \text{ただし、} 0 \leqq r < 3$$

- 整数 q を、n を 3 で割った **商** という。
- 整数 r を、n を 3 で割った **余り** という。
- 余りは **剰余** ともいう。

整数 n に対し、商 q と剰余 r の組は一通りに決まる。

テトラ「$n = 3q + r$ ですか……これが割り算という計算になる？」

僕「$n = 3q + r$ というのは、整数 n から商 q と余り r を求める
　　式というよりも、整数 n と商 q と余り r の間に成り立つ式だ
　　と考えた方がいいかも」

テトラ「は、はい……」

僕「整数 n を具体的に考えてみれば、何を言ってるかわかるよ。
　　$n = 7$ のとき、商 $q = 2$ で余り $r = 1$ になる。これを式で書
　　くと確かに、

$$n = 3 \times q + r$$
$$\vdots \qquad \vdots \quad \vdots$$
$$7 = 3 \times 2 + 1$$

と表せている」

テトラ「そうですね……」

僕「こんな表を作れば、3で割ったときに、商と余りがもとの整数とどういう関係があるかよくわかる。商と余りによって、どんな整数でも一通りに表せることがわかるよね」

	余り0	余り1	余り2
⋮	⋮	⋮	⋮
商 −2	−6	−5	−4
商 −1	−3	−2	−1
商 0	0	1	2
商 1	3	4	5
商 2	6	7	8
⋮	⋮	⋮	⋮

テトラ「なるほど……なるほど。商はどの行になるかを表していて、余りはどの列になるかを表している。表にして考えると、当たり前に思えてきました」

僕「$n = 3q + r$ という式で、$0 \leqq r < 3$ という条件が付いていると、n という一つの整数を q と r という二つの整数の組で一通りに表せるということだね」

テトラ「そうですね」

僕「さあこれで、3 で割った余りがぐるぐる回るのは納得できた
　かなあ」

テトラ「はい、納得です！」

僕「それはよかった」

テトラ「！！！！！」

　突然、テトラちゃんは無言で手をぐるぐる回し出した。

僕「どっ、どうしたのテトラちゃん？」

テトラ「せせせ先輩っ！ $\mathbb{Z}_3$ はぐるぐる回ります。1 を好きなだ
　け足し続けていけるのは、いわば《果てがない》ということ
　です。無数の要素があるというのは、いわば《限りがない》
　ということです。でも——《果てがない》と《限りがない》
　は異なる概念なのですねっ!!」

僕「ま、まあ、そういえるね」

テトラ「地球の表面は、好きなだけ進んでいくことができます。
　どこまで行っても《果てがない》んです。でも《限りがない》
　わけじゃありません。地球の表面は有限です。あたし、何だ
　か地球が丸いことを発見したような気分ですっ！」

僕「なるほどなあ……」

3.8 ミルカさん

ミルカ「テトラの声が聞こえた」

　テトラちゃんが興奮して話しているところに、**ミルカさん**が
やってきた。

　ミルカさんは僕のクラスメート。数学が得意な才媛だ。テトラ
ちゃんとミルカさんと僕の三人は、放課後の図書室で数学トーク
をする仲良し——三人の愉快な仲間なのだ。

テトラ「あっ、ミルカさん！　余りを使った計算をしてたんです！
　　　$\mathbb{Z}$ と $\mathbb{Z}_3$ は似てますけれど、$\mathbb{Z}$ は果てがなくて限りもない。
　　　$\mathbb{Z}_3$ は果てがないけど限りがあるんですっ！」

ミルカ「ふむ……」

　元気少女テトラちゃんの語りに耳を傾けながら、ミルカさんは
メタルフレームの眼鏡に指を当ててゆっくりと 頷 く。そのたび
に、彼女の長い黒髪が静かに揺れる。

テトラ「$\mathbb{Z}_3$ は整数のようなものです。要素は 3 個しかありません
　　　が、整数のように計算ができるので $\mathbb{Z}_3$ と $\mathbb{Z}$ は似ています。
　　　$\mathbb{Z}_3$ はミニチュア整数ですねっ！」

ミルカ「確かに $\mathbb{Z}_3$ と $\mathbb{Z}$ は似ている。だが似ているというだけで
　　　は物足りないな。何がどのように似ているのか。整数のよう
　　　なものや、整数のように計算ができるというところを明確に
　　　言いたくなる」

僕「演算があるから、要素がばらばらにならず、集合がまとまり
　　　として緊密な整合性を保つ——という話をしていたんだよ」

ミルカ「君が言う整合性の一部は、集合に**代数構造**が与えられて
　　　いると表現できる」

テトラ「代数……構造？」

ミルカ「テトラが《整数のようなもの》と表現したくなる代数構
　　　造には名前がある」

テトラ「どんな名前ですか？」

ミルカ「環（かん）だ」

3.9 環

テトラ「環……難しそうです」

ミルカ「難しくはない。一言でいえば、私たちがよく知っている
　　　加法と乗法ができる代数系、それが環（かん）だ。整数全体の集合 $\mathbb{Z}$
　　　が環であることを強調するときには、

$$\textbf{整数環（せいすうかん）}\ \mathbb{Z}$$

　　　と表現する。同じように、整数を 3 で割った剰余の集合 $\mathbb{Z}_3$
　　　が環であることを強調するときには、

$$\textbf{剰余環（じょうよかん）}\ \mathbb{Z}_3$$

　　　という[*2]。整数環 $\mathbb{Z}$ と剰余環 $\mathbb{Z}_3$ のどちらも環だ」

僕「要するに、環は加法と乗法が定義されている集合だね」

ミルカ「そうだ。環かどうかは、加法と乗法が**環の公理**を満たし
　　　ているかどうかで決まる」

[*2] 剰余環は剰余類環ともいいます。また $\mathbb{Z}/3\mathbb{Z}$ とも表記します。

環の公理

集合 R に、加法 + と乗法 × が定義されており、

- 環の公理 ① （加法 + について）
- 環の公理 ② （乗法 × について）
- 環の公理 ③ （加法 + と乗法 × について）

のすべてを満たすとき、R を環という。

テトラ「集合 R……」

ミルカ「R は、環の公理を説明するために集合に付けた単なる名前だ。環は英語で "ring" というから、その頭文字を使っただけ」

テトラ「そういうことですか」

ミルカ「まずは加法について。環では零元が存在し、交換法則と結合法則が成り立たなければならない。さらに、どの要素に対しても、その要素に対する逆元がなくてはいけない」

環の公理 ①（加法 + について）

- R には「R のどの要素 a に対しても、

$$a + z = z + a = a$$

が成り立つ」という性質を満たす要素 z が存在する。
このzを環Rの**零元**といい、0 と表記する[*3]。

- R のどの要素 a, b に対しても、

$$a + b = b + a$$

が成り立つ（**加法の交換法則**）。

- R のどの要素 a, b, c に対しても、

$$(a + b) + c = a + (b + c)$$

が成り立つ（**加法の結合法則**）。

- R のどの要素 a に対しても、

$$a + b = b + a = 0$$

を満たす R の要素 b が、a ごとに存在する。
このbをaの**逆元**と呼び、−a と表記する[*4]。

[*3] 零元は零元とも読みます。0 と表記できるのは、環の零元は唯一であることが証明できるからです。

[*4] −a と表記できるのは、環の逆元は a ごとに唯一であることが証明できるからです。

テトラ「……」

ミルカ「そして乗法について。環には**単位元**(たんいげん)が存在し、結合法則
　　　が成り立たなくてはいけない[*5]」

環の公理 ② （乗法 × について）

- R には「R のどの要素 a に対しても、

$$a \times e = e \times a = a$$

　　が成り立つ」という性質を持つ要素 e が存在する。
　　この e を環 R の**単位元**(たんいげん)といい、1 と表記する[*6]。
- R のどの要素 a, b, c に対しても、

$$(a \times b) \times c = a \times (b \times c)$$

　　が成り立つ（**乗法の結合法則**）。

僕「ここでは 1 が単位元になっているけど、0 は単位元とはいわ
　　ない？」

ミルカ「演算を明示すれば単位元といえる。環の零元 0 は加法の
　　　単位元であり、環の単位元 1 は乗法の単位元だ」

僕「そういうことか。ところで、乗法の交換法則は環の公理には
　　含まれていないんだね」

[*5] 単位元の存在を環の公理に入れない場合もあります。
[*6] 1 と表記できるのは、環の単位元は唯一であることが証明できるからです。

乗法の交換法則

- R のどの要素 a, b に対しても、

$$a \times b = b \times a$$

が成り立つ。

ミルカ「一般の環では、乗法の交換法則までは求めない。だから、乗法の交換法則が成り立つ環もあれば、成り立たない環もある。乗法の交換法則が成り立つ環は、特に可換環と呼ばれる。乗法の交換法則が成り立たない環は、非可換環だ。では、非可換環の例は？」

ミルカさんは僕に目を向ける。例を挙げよという意味だろう。

僕「乗法の交換法則が成り立たないということは、$a \times b = b \times a$ が成り立たないかもしれない——そうか！　**行列**がそうだね！」

ミルカ「そう。n を固定したとき、$n \times n$ の正方行列全体の集合は非可換環の代表的な例になる[*7]。——さて、残るは環の公理③の分配法則だ。環には加法と乗法という二つの演算がある。分配法則はその二つの関係を述べている」

[*7] 参考文献 [8]『数学ガールの秘密ノート／行列が描くもの』参照。また研究問題 3-X3 も参照（p. 296）。

環の公理 ③ (加法 + と乗法 × について)

- R のどの要素 a, b, c に対しても、

$$(a + b) \times c = a \times c + b \times c$$

および

$$a \times (b + c) = a \times b + a \times c$$

が成り立つ (**分配法則**)。

と、テトラちゃんがおずおずと手を挙げた。

テトラ「あのう……環の公理に出てくる交換法則、結合法則、分配法則——といった法則は、整数ではどれも成り立ちますよね。零元の 0 と、単位元の 1 も、もちろん整数ですし……」

ミルカ「その通り。だから、整数は環だ。私たちが親しんでいる整数全体の集合 $\mathbb{Z}$ には、環としての代数構造が入っている」

テトラ「整数は環——そ、それはなぜなんでしょうか？ あたしは……環の公理 ①②③ に出てくる法則は知ってると思うんですけれど、まだ、あたしはちゃんとわかっていないようです」

ミルカ「$\mathbb{Z}$ が環といえるのはなぜか。整数全体の集合 $\mathbb{Z}$ で私たちが使っている加法と乗法が環の公理を満たしているから。それが理由だ」

僕「さっきの《逆転の発想》と同じことだよ、テトラちゃん」

テトラ「どういうことでしょう」

テトラちゃんは僕の方を向いて首をかしげる。

僕「うん。環の公理に書かれている条件は、整数が満たしている性質として授業で学ぶものと同じ。でもいまは、整数が満たしている性質としてこれらの条件を学んでいるんじゃなくて、これらの条件を満たしているもののことを環と呼んでいるという話だよね」

テトラ「ああ……理解しました！ 環というものを決めているのが環の公理なんですね！ だとしたら確かに、どうして整数が環なのか——その答えはミルカさんがおっしゃったように『環の公理を満たしているから』になります！」

ミルカ「その理解でいい。ただし、整数が持つ性質のすべてが環の公理に書かれているわけではないことに注意」

テトラ「え？」

ミルカ「たとえば、無限集合であるという条件は、環の公理には出てこない。だから、無限集合であるかどうかは環であるかどうかとは無関係だ」

テトラ「ははあ……」

僕「そういえば『1 を加えたら大きくなる』という性質も、環の公理には出てこないね」

テトラ「なるほど……」

ミルカ「そもそも、大小関係自体が環の公理には出てこない。環では、加法と乗法だけが問題になる」

僕「うんうん。一つ一つの数が問題なんじゃなくて、どんなルー

ルが全体を支えているかが大事なんだよね」

ミルカ「だから整数環 $\mathbb{Z}$ は、整数環 $(\mathbb{Z}, +, \times)$ のように加法 $+$ と
乗法 $\times$ も明記した方がより正確になる。一つの集合に対して
他の加法や他の乗法を定義することもできるからだ」

僕「ノイマンの方法では和集合を使う演算で後続数を得る演算を
定義したよ」

ミルカ「具体的にどのようにしてその演算を行うか——演算のい
わば実装方法はさまざまあり得る。しかし、重要なのは公理
を満たしているかどうかだ。環の公理を満たしていれば環と
呼べる。それがどのような実装方法であっても、あるいは実
装方法など示されなくても」

僕「表記方法もそうだね。零元や単位元をどのように書くかは重
要じゃなくて、環の公理を満たしているかどうかが重要」

テトラ「たとえ薔薇とは呼ばれなくても、薔薇の花は薔薇の花
——でも薔薇と呼ばれるからには理由が必要。薔薇の公理が
必要なのですねっ！」

ミルカ「比喩としてはそう。薔薇は数学的対象ではないが」

テトラ「整数環 $\mathbb{Z}$ と、3 で割ったときの剰余環 $\mathbb{Z}_3$ と……他にも
環はあるんでしょうか。他の環とも《お友達》になってみた
いです」

僕「テトラちゃんは数学的概念も《お友達》なんだね」

ミルカ「環は無数にある。たとえば多項式環は、すでにテトラの
《お友達》だろう」

3.10 多項式環

テトラ「多項式というと $6x^2 + 3x + 2$ のようなものですよね」

ミルカ「そうだ。一般には、

$$a_n x^n + a_{n-1} x^{n-1} + \cdots + a_2 x^2 + a_1 x + a_0$$

という形の式を考える。n は 0 以上の整数で、**係数**となる $a_0, a_1, a_2, \ldots, a_{n-1}, a_n$ は、いまは実数としておく」

テトラ「はい」

ミルカ「このような式をすべて集めた集合に、私たちがよく知っている多項式の加法 $+$ と乗法 $\times$ を定義する。すると、それが環の公理を満たすことは簡単に確かめられる。そこで、その集合を、

実数係数の多項式環 $\mathbb{R}[x]$

と呼ぼう。$\mathbb{R}[x]$ に出てくる $\mathbb{R}$ は係数に使っている実数全体の集合を表す」

僕「なるほど。係数に何を使うかも意識するということだね」

ミルカ「多項式環の他の例としてはたとえば——

- $\mathbb{Z}$ の要素、すなわち整数を係数に持つ、
  整数係数の多項式環 $\mathbb{Z}[x]$
- $\mathbb{C}$ の要素、すなわち複素数を係数に持つ、
  複素数係数の多項式環 $\mathbb{C}[x]$

——などがある」

テトラ「多項式環……ということは、多項式もまた整数のような
　　　ものといえるんでしょうか」

ミルカ「多項式環は、環としての代数構造を持っているという意
　　　味で整数環と似ている」

テトラ「ええと、でも、$2x^2 + x + 1$ や $6x^2 + 3x + 2$ を整数の
　　　ようなものとはちょっと思いにくいです。あまり似ていな
　　　くて……」

ミルカ「繰り返すが、環という代数構造を持っているという意味
　　　で似ているのだ」

テトラ「でも、たとえば多項式 $x^2 + 1$ が整数……？」

僕「ねえ、テトラちゃん。イメージじゃなくて環の公理を満たし
　　　ているかどうか、その確認が大事なんだよ。つまり、多項式
　　　同士の加法と乗法を確認するんだ」

テトラ「……？」

僕「式の計算の再確認だね。環では加法の交換法則、

$$a + b = b + a$$

が成り立っている必要があるよね。それが環の公理の一部だ
から。多項式環なら、環の公理に出てきた a と b は多項式に
なる。つまり、

$$a \in \mathbb{R}[x]$$

だし、

$$b \in \mathbb{R}[x]$$

でもある。たとえば、

$$\underbrace{(x^2 + 2x + 3)}_{a} + \underbrace{(5x^2 + x + 1)}_{b} = \underbrace{(5x^2 + x + 1)}_{b} + \underbrace{(x^2 + 2x + 3)}_{a}$$

のように考えるとわかるんじゃない?」

テトラ「あ……わかりました! $x^2 + 2x + 3$ という一つの多項式が、多項式環の一つの要素なんですね! 勘違いしていました。もう理解しました!」

ミルカ「では、多項式環 $\mathbb{R}[x]$ の零元は何か。テトラ?」

テトラ「はいっ、0 ですっ!」

ミルカ「それはなぜ?」

テトラ「それはなぜか……なぜ?」

僕「《定義にかえれ》だね。環の公理で零元をチェック(p. 109)」

テトラ「もしかして、

$$a + 0 = 0 + a = a$$

だからですか?」

ミルカ「それでいい。$\mathbb{R}[x]$ のどの要素 a に対しても——つまり、どんな多項式 a に対しても、

$$a + 0 = 0 + a = a$$

が成り立つから、0 は多項式環 $\mathbb{R}[x]$ の零元だといえる」

テトラ「わかりました!」

僕「ちょっと待って。多項式環 $\mathbb{R}[x]$ での加法を定義しておかない
　　とまずくない？」

ミルカ「$\mathbb{R}[x]$ の加法は $\mathbb{R}$ の加法を使って定義できる」

僕「ああそうか、多項式の和は、同類項の係数同士の和とすれば
　　いいだけのことか」

ミルカ「ふむ——」

　ここでミルカさんが目を閉じる。
　僕たちのいる空間が急にしんとなる。

僕「……」

テトラ「……」

ミルカ「多項式環が持つ代数構造にフォーカスを当てよう。それ
　　を明確にするため、多項式を係数列で表記する」

3.11　多項式の係数列表記

ミルカ「多項式の和や積を求めるときには、係数にのみ注目して
　　計算すればいい。言い換えれば、

$$(a_0, a_1, a_2, \ldots)$$

　という係数列を多項式と同一視し、係数列同士の計算を行っ
　ていると見なせる。係数列の集合に対して加法と乗法が定義
　されており、それが環の公理を満たしている」

僕「ちょっと待って。係数列って無限数列？」

ミルカ「無限数列として扱う。ただし、n 次式の場合には、a_{n+1} 以降はすべて 0 とする。つまり、

$$a_{n+1} = a_{n+2} = \cdots = 0$$

として考える」

テトラ「えっと、もう少し具体的に……」

僕「$x^2 + 2x + 3$ は、3 次以上の項の係数はすべて 0 にして、$(3, 2, 1, 0, 0, 0, \ldots)$ に見立てるということだね。係数列は次数が低い順に並べているから、$3 + 2x + x^2$ と考えた方がわかりやすいかも」

ミルカ「例を挙げよう」

多項式		係数列
0	←----→	$(0, 0, 0, 0, 0, 0, 0, \ldots)$
1	←----→	$(1, 0, 0, 0, 0, 0, 0, \ldots)$
x	←----→	$(0, 1, 0, 0, 0, 0, 0, \ldots)$
$3x^2$	←----→	$(0, 0, 3, 0, 0, 0, 0, \ldots)$
$x^2 + 2x + 3$	←----→	$(3, 2, 1, 0, 0, 0, 0, \ldots)$
$11x^5 + 22x^3 + 33x$	←----→	$(0, 33, 0, 22, 0, 11, 0, \ldots)$

テトラ「なるほど、係数列という意味がわかりましたが……でも、多項式を係数列にしてしまったら、困りませんか」

僕「困るって？」

テトラ「係数列だけにしたら、多項式から x が消えてしまいます。それで困らないんでしょうか」

僕「うーん……たとえば x に代入できないとか？」

テトラ「あ、はい、そうです」

ミルカ「多項式環の代数構造に注目しているときには、係数列だけを考えている。x については考えなくてもいい。そもそも式の計算をしているとき——加算と乗算をしているとき——には、代入という計算は出てこない」

テトラ「……」

ミルカ「具体的な多項式の和を係数列で表すと、たとえば、

$$(x+2) \quad + \quad (3x+4) \quad = \quad 4x+6$$

$$(2,1,0,0,\ldots) \quad + \quad (4,3,0,0,\ldots) \quad = \quad (6,4,0,0,\ldots)$$

となる」

テトラ「ははあ、なるほど……」

ミルカ「係数列で表現した多項式の和は、一般にどうなる？」

$$(a_0, a_1, a_2, \ldots) + (b_0, b_1, b_2, \ldots) = ???$$

テトラ「こ、こうですか？」

$$(a_0, a_1, a_2, \ldots) + (b_0, b_1, b_2, \ldots) = (a_0+b_0, a_1+b_1, a_2+b_2, \ldots)$$

ミルカ「それでいい。では乗算だ。$(x+2)(3x+4)$ は？」

テトラ「はい。計算します。

$$(x+2)(3x+4) = 3x^2 + 10x + 8$$

ですね」

ミルカ「係数列で表してみよう」

$$(x + 2) \quad \times \quad (3x + 4) \quad = \quad 3x^2 + 10x + 8$$

$$(2, 1, 0, 0, 0, \dots) \times (4, 3, 0, 0, 0, \dots) = (8, 10, 3, 0, 0, 0, \dots)$$

テトラ「係数列だけを見ても、何をやってるかわかりません……」

僕「うーん、でも筆算では係数列だけを見てるよね。

$$
\begin{array}{r}
x + 2 \\
\times \quad 3x + 4 \\
\hline
4x \quad 8 \\
+\ 3x^2 \quad 6x \\
\hline
3x^2 \quad 10x \quad 8 \\
\end{array}
$$

結局は、係数の計算を注意深くやっていることになるんだから。係数の順番が逆転しているけれど、こんなふうに並べれば、$(x + 2)(3x + 4) = 3x^2 + 10x + 8$ の筆算と係数列の対応はよくわかる」

$$
\begin{array}{r}
1x + 2 \quad \longleftrightarrow \quad (2, 1, 0, 0, 0, \dots) \\
\times \quad 3x + 4 \quad \longleftrightarrow \quad (4, 3, 0, 0, 0, \dots) \\
\hline
4x \quad 8 \quad \longleftrightarrow \quad (8, 4, 0, 0, 0, \dots) \\
+\ 3x^2 \quad 6x \quad 0 \quad \longleftrightarrow \quad (0, 6, 3, 0, 0, \dots) \\
\hline
3x^2 \quad 10x \quad 8 \quad \longleftrightarrow \quad (8, 10, 3, 0, 0, \dots) \\
\end{array}
$$

　僕たちはそれから、係数列を使って表した多項式の乗算を一般的に考えた。すなわち、

$$(a_0, a_1, a_2, \ldots) \times (b_0, b_1, b_2, \ldots) = (c_0, c_1, c_2, \ldots)$$

としたときに、

$$c_0, c_1, c_2, \ldots$$

を、

$$a_0, a_1, a_2, \ldots \text{と} b_0, b_1, b_2, \ldots$$

で表す問題だ[8]。

ミルカ「高校での多項式には主に二つの姿がある。多項式環としての姿と、多項式関数としての姿だ。このように係数列で表すと、多項式の代数構造に注目しやすくなる」

僕「なるほどね。係数列だけを並べていたら関数には見えないし、x が出てこないから代入もできない。でも多項式の式の計算でできることは係数列だけでも表現できる……ってことか」

ミルカ「ところでここで、おもしろい話がある」

ミルカさんはそう言って、舌を小さく出して唇をなめた。

僕「おもしろい話？」

ミルカ「多項式関数における**微分**を思い出そう。微分は係数列に対する演算と考えられる。たとえば、こうだ」

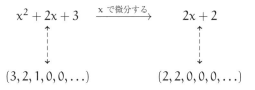

$$x^2 + 2x + 3 \quad \xrightarrow{\text{x で微分する}} \quad 2x + 2$$

$$(3, 2, 1, 0, 0, \ldots) \qquad (2, 2, 0, 0, 0, \ldots)$$

---

[8] 章末問題 3-4 参照（p. 129）。

僕「あっ、これはおもしろい！」

テトラ「えっ？」

僕「微分して導関数を求めるという計算を、接線の傾きや極限などまったく考えないで定義してしまうということだね？」

ミルカ「そういうこと。多項式に限った話だけれど、ここで例示した係数列の操作に微分という名前を付けることができる。さらに、この発想を逆転させて、無限数列を表現する母関数や形式的冪級数という数学的概念もある。形式的冪級数では、単なる係数列に対する操作として考えるから、級数の収束などを無視する正当化ができる[*9]」

僕「……」

ミルカ「話が環からだいぶ離れたが、多項式という数学的対象は複数の視点から見ることができる。環という代数構造はその一つを教えてくれる。そして環という名前のもとで、整数環や、剰余環や、多項式環に共通の性質を研究できるのだ」

テトラ「でも、すべての環がまったく同じではないですよね。$\mathbb{Z}$ と $\mathbb{Z}_3$ は似ているけれど、違います。$\mathbb{Z}$ は無数の要素がありますが、$\mathbb{Z}_3$ には 3 個しかありません」

ミルカ「もちろん。たとえば、$\mathbb{Z}_{12}$ と $\mathbb{Z}_3$ はどちらも環として似た構造を持つが大きな違いがある」

テトラ「$\mathbb{Z}_{12}$ は 12 時間でぐるっと回る時計ですね。$\mathbb{Z}_{12}$ は要素

[*9] 母関数や形式的冪級数については参考文献 [1]『数学ガール』を参照してください。

が 12 個で、$\mathbb{Z}_3$ は要素が 3 個で違います」

ミルカ「個数だけではなく、演算の重要な違いに注目しよう。た
とえば $\mathbb{Z}_{12}$ の乗算表を見れば発見がある」

×	0	1	2	3	4	5	6	7	8	9	10	11
0	0	0	0	0	0	0	0	0	0	0	0	0
1	0	1	2	3	4	5	6	7	8	9	10	11
2	0	2	4	6	8	10	0	2	4	6	8	10
3	0	3	6	9	0	3	6	9	0	3	6	9
4	0	4	8	0	4	8	0	4	8	0	4	8
5	0	5	10	3	8	1	6	11	4	9	2	7
6	0	6	0	6	0	6	0	6	0	6	0	6
7	0	7	2	9	4	11	6	1	8	3	10	5
8	0	8	4	0	8	4	0	8	4	0	8	4
9	0	9	6	3	0	9	6	3	0	9	6	3
10	0	10	8	6	4	2	0	10	8	6	4	2
11	0	11	10	9	8	7	6	5	4	3	2	1

$\mathbb{Z}_{12}$ における乗算表

テトラ「？」

ミルカ「たとえば、$\mathbb{Z}_3$ では、0 以外の要素には逆数——すなわち
乗法の逆元——が存在する。$\mathbb{Z}_3$ では 1 の逆数は 1 だし、2 の
逆数は 2 だ」

テトラ「$\mathbb{Z}_3$ では $1 \times 1 = 1$ ですし、$2 \times 2 = 1$ ですからそうで
すね」

僕「$\mathbb{Z}_{12}$ ではそうならないね」

ミルカ「$\mathbb{Z}_{12}$ には、0 以外にも逆数が存在しない要素がある。た

とえば、$\mathbb{Z}_{12}$ で 3 の逆数は存在しない。$\mathbb{Z}_{12}$ で 3 の倍数は、

$$0, 3, 6, 9$$

しかない。$\mathbb{Z}_{12}$ では、3 に何を掛けても 1 を作れないのだ」

×	0	1	2	3	4	5	6	7	8	9	10	11
0	0	0	0	0	0	0	0	0	0	0	0	0
1	0	1	2	3	4	5	6	7	8	9	10	11
2	0	2	4	6	8	10	0	2	4	6	8	10
3	0	3	6	9	0	3	6	9	0	3	6	9
4	0	4	8	0	4	8	0	4	8	0	4	8
5	0	5	10	3	8	1	6	11	4	9	2	7
6	0	6	0	6	0	6	0	6	0	6	0	6
7	0	7	2	9	4	11	6	1	8	3	10	5
8	0	8	4	0	8	4	0	8	4	0	8	4
9	0	9	6	3	0	9	6	3	0	9	6	3
10	0	10	8	6	4	2	0	10	8	6	4	2
11	0	11	10	9	8	7	6	5	4	3	2	1

$\mathbb{Z}_{12}$ では、3 に何を掛けても 1 を作れない

ミルカ「これは、$\mathbb{Z}_3$ は体だが、$\mathbb{Z}_{12}$ は体ではないと表現できる」

テトラ「体？」

ミルカ「0 以外の要素に必ず乗法の逆元が存在する環のことを体という。有理数体 $\mathbb{Q}$ や実数体 $\mathbb{R}$ や複素数体 $\mathbb{C}$ のように」

環から体へ——僕たちの《数を作る》旅はさらに進んでいく。

数学者は対象を研究しない、
研究するのは対象間の関係である。
だからその関係が変らないかぎり、
これらの対象を別の対象でおきかえることには無頓着である。
——ポアンカレ*10

---

*10 ポアンカレ『科学と仮説』より（河野伊三郎訳）

第3章の問題

●**問題 3-1**（剰余環 $\mathbb{Z}_2$）

整数を 2 で割った剰余を使って、

$$剰余環 \mathbb{Z}_2$$

の加算表と乗算表を作ってください[11]。

ヒント：剰余環 $\mathbb{Z}_3$ の加算表と乗算表は次の通りです。

+	0	1	2
0	0	1	2
1	1	2	0
2	2	0	1

×	0	1	2
0	0	0	0
1	0	1	2
2	0	2	1

$\mathbb{Z}_3$ の加算表　　　　$\mathbb{Z}_3$ の乗算表

（解答は p. 256）

---

[11] 剰余環 $\mathbb{Z}_2$ は $\mathbb{Z}/2\mathbb{Z}$ とも表記します。

●**問題 3-2**（演算表の改変）

ある人が、3 個の異なる要素を持つ集合 $X_3 = \{0, 1, 2\}$ を使って環を作ろうと思いました。X_3 の加算表と乗算表は、剰余環 $\mathbb{Z}_3$ のものとほとんど同じですが一箇所だけ $2 + 2 = 0$ と改変してあります。

+	0	1	2
0	0	1	2
1	1	2	0
2	2	0	0

×	0	1	2
0	0	0	0
1	0	1	2
2	0	2	1

X_3 の加算表　　　X_3 の乗算表

しかし、X_3 は環ではありません。それはなぜですか。

（解答は p. 258）

●**問題 3-3**（整数の商と剰余）

どんな整数 n に対しても、次の式を満たす二つの整数 q と r が存在します。

$$n = 3q + r \quad ただし、0 \leqq r < 3$$

では、この商 q と剰余 r の組が、n ごとに唯一に定まることを証明してください。

（解答は p. 259）

●**問題 3-4**（多項式環の乗算）

第 3 章本文（p. 118）では、

$$a_n x^n + \cdots + a_2 x^2 + a_1 x + a_0$$

という実数係数の多項式を、

$$(a_0, a_1, a_2, \cdots, a_n, 0, 0, 0, \ldots)$$

という係数列で表しました。ここで多項式環 $\mathbb{R}[x]$ の加法は、

$$(a_0, a_1, a_2, \ldots) + (b_0, b_1, b_2, \ldots) = (c_0, c_1, c_2, \ldots)$$

としたとき、

$$c_n = a_n + b_n \qquad (n = 0, 1, 2, \ldots)$$

で定義できます。では、多項式環 $\mathbb{R}[x]$ の乗法は、

$$(a_0, a_1, a_2, \ldots) \times (b_0, b_1, b_2, \ldots) = (d_0, d_1, d_2, \ldots)$$

としたとき、どう定義できますか。d_n を $a_0, a_1, a_2, \ldots$ および $b_0, b_1, b_2, \ldots$ を使って表してください。

（解答は p. 261）

第4章

ペアが生み出す世界

"あなたからの手紙が、あなたからの手紙だとわかるのはなぜか。"

4.1 環と体の関係

僕「有理数全体の集合 $\mathbb{Q}$ は、体になる——そういう理解でいい？」

ミルカ「そう、それでいい」

テトラ「有理数——体？ 有理数はわかります。$\frac{1}{2}$ のように分数で表せる数ですよね？ 整数分の整数です。でも、体というのは？」

ミルカ「一言でいうなら、体とは、加減乗除ができる代数系だ。

- 環では、《加・減》と《乗》ができる。
- 体では、《加・減》と《乗・除》ができる。

もう少しきちんというなら、体とは、0 以外の任意の要素に対して、乗法の逆元が存在する環のこと。環と体を比較するならこうなる」

	環	体
演算	加法と乗法	加法と乗法
加法の逆元	任意の要素に対して、加法の逆元が存在する	任意の要素に対して、加法の逆元が存在する
乗法の逆元	0 を除く任意の要素に対して、乗法の逆元が存在する**とは限らない**	0 を除く任意の要素に対して、乗法の逆元が存在する

僕「環と体との違いは乗法の逆元の存在に関してだけだね。環では、0 を除く任意の要素に逆元が存在するかもしれないし、存在しないかもしれない」

ミルカ「ではテトラに**クイズ**だ。有理数体 $\mathbb{Q}$ は環といえるか？」

テトラ「はい、有理数体 $\mathbb{Q}$ は環といえると思いますが……」

テトラちゃんはちょっぴり自信なさげだ。

ミルカ「これは定義と照らし合わせるクイズ」

僕「有理数体 $\mathbb{Q}$ は環といえるよ。体というのは『0 を除く任意の要素に対して、乗法の逆元が存在する環』なんだから、体は環の一種だよね。環の中で逆数が必ず存在するものを特別に体と呼んでいるんだから」

ミルカ「そういうこと。有理数体 $\mathbb{Q}$ は環といえる」

テトラ「はい……理解しました。あたしは有理数体という名前に引っ張られてしまうみたいです。これは体だといってるのに、環だといってもいいの？ って思ってしまいます」

テトラちゃんは、ほっぺたをむにーと引っ張りながら言う。

ミルカ「体は問答無用で環だ。環と体の関係を図で表すならこうなる」

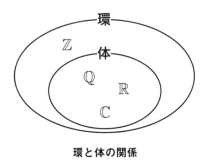

環と体の関係

テトラ「ははあ……」

ミルカ「有理数体 $\mathbb{Q}$ や実数体 $\mathbb{R}$ や複素数体 $\mathbb{C}$ はいずれも体だ。それは、0 を除く任意の要素に、乗法の逆元が存在する環だから。そして $\mathbb{Q}, \mathbb{R}, \mathbb{C}$ はもちろん環でもある」

テトラ「……」

ミルカ「それに対して、整数環 $\mathbb{Z}$ は環だが、体ではない。それは、乗法の逆元が存在しない整数があるからだ。たとえば整数 2 には、乗法の逆元は存在しない」

テトラ「乗法の逆元というのは、逆数のことですよね。2 の逆数は $\frac{1}{2}$ じゃありませんか?」

僕「でも、$\frac{1}{2}$ は整数じゃないよね、テトラちゃん」

テトラ「ああ、$\frac{1}{2}$ は整数じゃないから——なるほど」

ミルカ「ある要素に対して、乗法の逆元が存在するかどうかは、

どの代数系で考えているかはっきりさせないと混乱する。

- 整数環 $\mathbb{Z}$ で考えているとき、
  2 という要素に乗法の逆元は存在しない。なぜなら、
  整数環 $\mathbb{Z}$ に $2 \times x = 1$ となる要素 x は存在しないから。

- 有理数体 $\mathbb{Q}$ で考えているとき、
  2 という要素に乗法の逆元は存在する。なぜなら、
  有理数体 $\mathbb{Q}$ に $2 \times y = 1$ となる要素 y は存在するから。
  もちろん、有理数 $y = \frac{1}{2}$ のことだ。

演算は写像の一種だから、どの集合からどの集合への写像として考えているかに注意する必要がある」

テトラ「写像——といいますと？」

ミルカ「うん？　では、写像について簡単に話そう」

4.2　写像

写像について簡単に話そう。
非負整数全体の集合に $\mathbb{N}_0$ と名前を付ける。つまり、

$$\mathbb{N}_0 = \{0, 1, 2, 3, \ldots\}$$

とする。
　後続数を得る演算 $\prime$ は、集合 $\mathbb{N}_0$ のどの要素に対しても、集合 $\mathbb{N}_0$ の要素を一つ定める。そのことを、

演算 $\prime$ は集合 $\mathbb{N}_0$ から集合 $\mathbb{N}_0$ への**写像**である

という。そして、こんなふうに書く。

$$\prime: \quad \mathbb{N}_0 \longrightarrow \mathbb{N}_0$$

この矢印 → は、どの集合の要素をどの集合の要素に対応付ける
かを表している。だが矢印 → は、個々の要素の具体的な対応ま
では表していない。

　さて、0 の後続数は 1 つまり $0' = 1$ だから、写像としての演
算 $\prime$ は、非負整数 0 に対して、一つの非負整数 1 を定めるといえ
る。このことを、

$$\prime: \quad 0 \longmapsto 1$$

と表す。矢印の形を → から ↦ に変えていることに注意。矢印 ↦
で、どの要素をどの要素に対応付けるかを表しているのだ。たと
えば、

$$\prime: \quad 0 \longmapsto 1$$
$$\prime: \quad 1 \longmapsto 2$$
$$\prime: \quad 2 \longmapsto 3$$

のようになる。イメージを図に描くならこうだ。

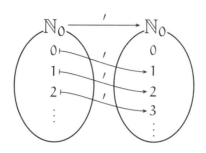

**非負整数で後続数を得る演算 ′ は、
集合 $\mathbb{N}_0$ から集合 $\mathbb{N}_0$ への写像**

　では次に、整数環 $\mathbb{Z}$ での加法 ＋ という演算を写像として表そう。これは、

$$+:\quad \mathbb{Z} \times \mathbb{Z} \longrightarrow \mathbb{Z}$$

と書ける。

　ここで $\mathbb{Z} \times \mathbb{Z}$ の × は乗算を表しているのではない。$\mathbb{Z} \times \mathbb{Z}$ と書いて、整数のペア全体の集合を表す約束だ。たとえば、整数のペア $(2,3)$ は集合 $\mathbb{Z} \times \mathbb{Z}$ の要素であって、

$$(2,3) \in \mathbb{Z} \times \mathbb{Z}$$

と書ける。

　さて、演算 ＋ を使って $2+3$ を計算した結果は 5 に等しい。すなわち、写像としての演算 ＋ は、整数のペア $(2,3)$ に対して、一つの整数 5 を定めているといえる。このことは、

$$+:\quad (2,3) \longmapsto 5$$

と書ける。

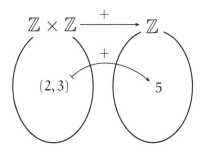

整数環の加法 + は、集合 $\mathbb{Z} \times \mathbb{Z}$ から集合 $\mathbb{Z}$ への写像

◎   ◎   ◎

テトラ「これは、難しそうに聞こえますけれど、もしかして当た
り前のことをおっしゃっていますか？ つまり、$2 + 3 = 5$ と
いう計算を、

$$+: \quad (2, 3) \longmapsto 5$$

のように書き表せる——ということですよね？」

僕「当たり前というか、僕たちがよく知っていることだね」

ミルカ「表記を揃えることには意味がある。後続数を得る演算 $\prime$
や、加法 $+$ や乗法 $\times$ といった演算を、ある集合からある集
合への写像として統一的に考えられるからだ」

テトラ「写像として考えると、何が起きるんですか？」

ミルカ「何を考えているかが明確になる」

テトラ「うーん……」

僕「集合を意識するということかな？」

ミルカ「たとえば、整数環 $\mathbb{Z}$ は体ではない。整数の中には、乗法の逆元が存在しないものがあるからだ」

テトラ「はい。2の逆数は $\frac{1}{2} = 0.5$ ですから、整数になりません。先ほど確認しました」

ミルカ「しかし、テトラは整数の除算を知っている。1を2で割ったら商は0で余りは1だ。このことをどう説明するか」

$$1 \div 2 = 0.5 \qquad \text{1を2で割ると0.5である}$$

$$1 \div 2 = 0 \text{ 余り } 1 \qquad \text{1を2で割ると0余り1である}$$

テトラ「言われてみればそうですけど、それは、ええと、整数の範囲で考えているかどうか——ですか?」

ミルカ「そこだ。演算を考えるときに私たちは、どんな集合の要素からどんな集合の要素への対応を考えているのか、それを意識する必要がある。それはまさに演算を写像として考えようとしているのだ」

テトラ「なるほど……そうすると、$\div$ の意味が明確になる?」

僕「うん、そうか。たとえば $1 \div 2 = 0.5$ を考えているとき、演算 $\div$ のことを僕たちは、整数のペア $(1, 2)$ に対して有理数 0.5 を対応させる写像だと考えているわけだね。

$$\div : \quad (1, 2) \longmapsto 0.5$$

のように。つまり、

$$\div : \quad \mathbb{Z} \times \mathbb{Z} \longrightarrow \mathbb{Q} \qquad (?)$$

と考えていることになる!」

ミルカ「そういうことだが、正しくはゼロ割の禁止を考慮した書き方にしなくては。整数全体の集合 $\mathbb{Z}$ から 0 を除いた集合を、仮に $\overset{\circ}{\mathbb{Z}}$ と書くことにして、

$$\div : \quad \mathbb{Z} \times \overset{\circ}{\mathbb{Z}} \longrightarrow \mathbb{Q}$$

とした方がいい[*1]」

僕「なるほど。$1 \div 0$ は計算できないから、整数のペア $(1, 0)$ に対応する有理数は存在しない。それなのに、

$$\div : \quad \mathbb{Z} \times \mathbb{Z} \longrightarrow \mathbb{Q}$$

と書いてしまうと、任意の整数 a, b で $a \div b$ ができることになってしまうから、$1 \div 0$ もできてしまう。それは確かにまずいなあ」

テトラ「"$1 \div 2 = 0.5$" が、$\mathbb{Z} \times \overset{\circ}{\mathbb{Z}} \to \mathbb{Q}$ なのはわかりました。でも、"$1 \div 2 = 0$ 余り 1" を考えているときはどうなるんでしょう」

僕「商と余りを $(商, 余り)$ というペアにすればいいんじゃない?」

$$\div : \quad \mathbb{Z} \times \overset{\circ}{\mathbb{Z}} \longrightarrow \mathbb{Z} \times \mathbb{Z}$$

$$\div : \quad (1, 2) \longmapsto (0, 1)$$

テトラ「ペアをペアに対応させる。なるほどです! それならたとえば、

[*1] ここでは $\mathbb{Z}$ から要素 0 を除いた集合を $\overset{\circ}{\mathbb{Z}}$ で表しています。しかし、通常は $\mathbb{Z}$ から要素 0 を除いた集合のことは $\mathbb{Z} \setminus \{0\}$ と表します。$A \setminus B$ は、集合 A に属しているけれど集合 B に属していない要素全体の集合です。

$$7 \div 3 = 2 \text{余り } 1$$

だったら、

$$\div : \quad (7,3) \longmapsto (2,1)$$

になるということですね」

ミルカ「ペアに対応させない方法もある。÷は商を得る写像とし、余り、すなわち剰余の方はmodと呼ばれる別の写像にまかせる方法だ。たとえば、

$$7 \div 3 = 2 \qquad 商$$
$$7 \bmod 3 = 1 \qquad 剰余（余り）$$

となる。それは写像として、

$$\div : \quad \mathbb{Z} \times \overset{\circ}{\mathbb{Z}} \longrightarrow \mathbb{Z}$$
$$\bmod : \quad \mathbb{Z} \times \overset{\circ}{\mathbb{Z}} \longrightarrow \mathbb{Z}$$

と考えていることになる。要素の例はたとえば、

$$\div : \quad (7,3) \longmapsto 2$$
$$\bmod : \quad (7,3) \longmapsto 1$$

となる」

僕「なるほどね。演算を写像として意識するのは確かに意味がありそうだ。割り算を考えるときでも、どの集合からどの集合への写像なのかを意識することになるから」

テトラ「比を得るのも、商を得るのも、余りを得るのも、商と余りのペアを得るのも——どんな計算も写像として考えられる

　ということですか……」

ミルカ「これで、明確になるという意味が明確になった」

テトラ「……そうっ！　あたしたちって自由なんですよね！」

　テトラちゃんが急に声を上げる。

僕「どうしたの？」

テトラ「はいっ、いま感じたんですが——割り算を表すときに、$7 \div 3$ と書いたり、$\frac{7}{3}$ と書いたりするじゃないですか。そういう書き方を習いますよね。でも、そう書かなければいけないわけじゃ**ない**んですね……そのことを改めて思ったんです。いま、

$$\div: \quad (7, 3) \longmapsto (2, 1)$$

のような書き方を初めて知りました。でも何を表しているかははっきりわかります。$(7, 3)$ というペアに対して、$(2, 1)$ というペアを対応させているんです。そのような書き方をしてもいいんだ！　あたしは、自由なんだ！　と思いました。つ、伝わります？」

僕「そうだね、本当にそうだと思うよ。意味がはっきりするなら、書き方も自由に工夫できる」

ミルカ「表記は自由だ。工夫もできる。ただし、それと同時に歴史への敬意も必要になるだろう。たとえば分数表記にはその合理性もありそうだ」

　僕たちは、数学におけるいろんな表記について、それぞれに思いを馳せた。

4.3 有理数体 $\mathbb{Q}$ を作ろう

僕「分数で有理数が表せるんだから、分子と分母のペアで有理数を作るのは自然な発想になるね」

テトラ「整数のペアを有理数と見なすわけですね！」

ミルカ「自然だな」

僕「たとえば有理数 0.5 は、$\frac{1}{2}$ という分数で表せるけど、それを $(1, 2)$ というペアで表すことにする。

$$\text{有理数 } 0.5 = \frac{1}{2} \quad \longleftarrow\text{-}\text{-}\text{-}\text{-}\longrightarrow \quad \text{ペア } (1, 2)$$

一般にはこうだね。有理数というのは、二つの整数 a, b を使って、

$$\frac{a}{b}$$

と表せる数だから、

$$\text{有理数 } \frac{a}{b} \quad \longleftarrow\text{-}\text{-}\text{-}\text{-}\longrightarrow \quad \text{ペア } (a, b)$$

とする。ただし、0 では割れないから $b \neq 0$ とする」

テトラ「分数をペアにしただけだから簡単ですね」

僕「ペアで《有理数を作る》のは、ペアで《整数を作る》のとそっくりだなあ」

- 非負整数のペア (m, n) で、m と n の差を表現し、
  整数を作る。
- 整数のペア (a, b) で、a と b の比を表現し、
  有理数を作る。

4.4 世界の欠けを見つけるために

ミルカ「整数のペアで有理数を作るとして、どのペア同士が等しいかを定める条件がいるな」

僕「そうだった、そうだった。整数を非負整数のペアで作ったときも、イコール（=）について考える必要があった。同じだね。二つのペアを等しいとする条件の作り方もそっくりになると思うな。整数のときはどうしたかというと——二つの整数を表す非負整数ペア (m_1, n_1) と (m_2, n_2) とが等しいことを、

$$m_1 + n_2 = m_2 + n_1$$

のように和を使って表した。非負整数の範囲では差が等しいことを $m_1 - n_1 = m_2 - n_2$ のように引き算を使って書けないから」

非負整数のペアで作った整数が等しいことの定義

m_1, n_1, m_2, n_2 は非負整数とします。このとき、整数を表す二つのペア (m_1, n_1) と (m_2, n_2) が等しいことを、m_1, n_1, m_2, n_2 を使って次のように定義します。

$$(m_1, n_1) = (m_2, n_2) \iff m_1 + n_2 = m_2 + n_1$$

テトラ「はいはいはいはいはいっ！」

ミルカ「はい、テトラ」

テトラちゃんが手をぶんぶん振りまわし、ミルカさんが指をさす。

テトラ「有理数については、あたしに言わせてください！ 有理数が等しいことを示す条件でも、同じような作り方になります。二つの有理数を表す整数ペア (a_1, b_1) と (a_2, b_2) とが等しいことは、

$$a_1 \times b_2 = a_2 \times b_1$$

のように積を使って表すことになるはずです。これはどうしてかというと、整数の範囲では比が等しいことを $a_1 \div b_1 = a_2 \div b_2$ や $\frac{a_1}{b_1} = \frac{a_2}{b_2}$ のように割り算を使って書けないからですっ！」

> **整数のペアで作った有理数が等しいことの定義**
> a_1, b_1, a_2, b_2 は整数とし、$b_1 \neq 0$ および $b_2 \neq 0$ とします。
> このとき、有理数を表す二つのペア (a_1, b_1) と (a_2, b_2) が等
> しいことを、a_1, b_1, a_2, b_2 を使って次のように定義します。
>
> $$(a_1, b_1) = (a_2, b_2) \Longleftrightarrow a_1 \times b_2 = a_2 \times b_1$$

ミルカ「整数を作るときには《成分の差が等しいペア同士》を等
　　　しいとするために和を使った。有理数を作るときには《成分
　　　の比が等しいペア同士》を等しいとするために積を使った」

テトラ「《和と差の世界》と《積と比の世界》という《二つの世
　　　界》がうまいこと対応してますね……」

ミルカ「ふむ……対応を考えてくると、対応していない部分が気
　　　になるな」

僕「対応していない部分？」

ミルカ「《二つの世界》を対応させると、片方の世界で欠けている
　　　ものが見つかる」

テトラ「何をおっしゃっているかわかりません……たとえば？」

ミルカ「たとえば、約分」

4.5　約分

テトラ「約分って……分数の？」

$$\frac{3}{6} = \frac{1}{2}$$

僕「ああ、それはペアでも成り立つよ。有理数 $\frac{3}{6}$ を表すペア $(3,6)$ は有理数 $\frac{1}{2}$ を表すペア $(1,2)$ に等しい。だって、

$$(3,6) = (1,2) \iff 3 \times 2 = 1 \times 6$$

になっているからね。ペア $(3,6)$ の左成分 3 と右成分 6 をどちらも 3 で割れば、3 で約分していることになる」

ミルカ「いま君は、約分という分数に対する操作が、ペアではどのような操作に相当するかを述べた。そうではなくて、《積と比の世界》における約分という概念は《和と差の世界》でいうとどんな概念に対応するか——それに関心がある」

僕「なるほど、そういう意味か。有理数を表すペア (a, b) における約分に相当する概念は、整数を表すペア (m, n) では何になるか？」

テトラ「あの……《左右の成分を同じ数で割る》に対応させるなら《左右の成分から同じ数を引く》というのはどうでしょうか！ たとえば整数 -1 を表すペア $(2,3)$ の左右の成分から同じ数 1 を引いたとき、同じ整数 -1 を表すペア $(1,2)$ に等しくなっていますよね」

僕「うんうん。確かにそういう対応は付けられそうだ。整数を表

すペア、その左右の成分から同じ数を引く——うーん、でも、そういう操作に名前はないなあ」

ミルカ「名前はないが、概念はある。欠けているのは名前だな」

テトラ「その概念に名前はない……それでは、その概念に意味はあるんでしょうか。ええと、つまり《左右の成分から同じ数を引くこと》に何か役目はあるんでしょうか」

ミルカ「標準形が作れる」

テトラちゃんの問いかけに、ミルカさんが即答した。

僕「標準形?」

ミルカ「いまは、等しいと見なす多くのペアの中で、特定の条件を持つ注目すべき要素——というほどの意味。正規形と呼んでもいい」

テトラ「?」

ミルカ「まずは《左右の成分を同じ数で割ること》で考える。《左右の成分を同じ数で割ること》——つまり約分を繰り返してみよう。有理数を表すペア $(18, 36)$ から始めて約分を繰り返していくと、やがてそれ以上は約分できないペア $(1, 2)$ に至る。こんなふうに」

$$\frac{18}{36} \xrightarrow{\quad 2\text{ で約分}\quad} \frac{9}{18} \xrightarrow{\quad 3\text{ で約分}\quad} \frac{3}{6} \xrightarrow{\quad 3\text{ で約分}\quad} \frac{1}{2}$$

$$(18,36) \xrightarrow{\quad \div 2\quad} (9,18) \xrightarrow{\quad \div 3\quad} (3,6) \xrightarrow{\quad \div 3\quad} (1,2)$$

$(18,36)$ **から約分を繰り返して** $(1,2)$ **に至る様子**

僕「それ以上は約分できない分数——**既約分数**<ruby>既約分数<rt>きやくぶんすう</rt></ruby>だね！」

ミルカ「そうだ。私たちは整数のペアで有理数を作る——要するに分数だ。そして有理数を考えるとき、私たちはしばしば既約分数という標準形を利用する。それは、分子と分母が既約である整数のペアが便利だからだ」

僕「なるほど、確かに」

ミルカ「ここで《積と比の世界》から《和と差の世界》へ移ろう。そして《左右の成分を同じ数で割ること》を《左右の成分から同じ数を引くこと》に置き換える。有理数における既約分数、それに対応する概念は整数にあるか」

僕「それは、すごくおもしろいよ！　こういうことだね。

- 整数ペアで有理数を作るとき、
  既約分数はいわば標準形といえる。
- それでは、非負整数ペアで整数を作るとき、
  それに類似した標準形はあるか。

《積と比の世界》の既約分数に対応する《和と差の世界》の概念だ！」

テトラ「はいはいはいはいっ！　それって左右成分のうち、どちら

かが 0 のペアじゃありませんか？ 整数を表す非負整数のペア (m, n) で両方の成分から 1 を引きます。左右のどちらかの成分が 0 になったら、もう引けなくなります。そういうペアですよ！」

$$6 - 3 \quad \xrightarrow{\text{1 減らす}} \quad 5 - 2 \quad \xrightarrow{\text{1 減らす}} \quad 4 - 1 \quad \xrightarrow{\text{1 減らす}} \quad 3 - 0$$
$$\vdots \qquad\qquad\qquad \vdots \qquad\qquad\qquad \vdots \qquad\qquad\qquad \vdots$$
$$(6, 3) \quad \xrightarrow{\;-1\;} \quad (5, 2) \quad \xrightarrow{\;-1\;} \quad (4, 1) \quad \xrightarrow{\;-1\;} \quad (3, 0)$$

僕「確かに！ 《積と比の世界》では左右の成分を同じ数で割れるだけ割ったペアを作る。《和と差の世界》では左右の成分から同じ数を引けるだけ引いたペアを作る。うん、ぴったり対応しているね」

ミルカ「《二つの世界》で対応する概念を探すのはおもしろい」

テトラ「まるで海外旅行をしているようです！」

ミルカ「？」

僕「海外旅行？」

テトラ「外国で電車に乗るとします。日本と同じように駅があって、同じように電車が動いているんですけれど、電車の種類や乗車手順などが少し違いますよね。似ているけれど違う。違うけれど似てる」

ミルカ「ふむ。そういう意味か」

テトラ「非負整数ペアで作った整数から生まれる《和と差の世界》と、整数ペアで作った有理数から生まれる《積と比の世界》

の関係も、何だかそんな感じがします。似ているけれど違う。違うけれど似てる」

僕「なるほどね……」

ミルカ「私たちは《積と比の世界》における約分や既約分数に対応する概念を、《和と差の世界》で探ってきた。確かに対応する概念はある。しかし、《和と差の世界》には約分や既約分数のような名前はない。そこは興味深いところだ」

テトラ「そういえばそうですね……それは《積と比の世界》の方が複雑だからでしょうか」

ミルカ「そもそも、表記からしてそうだ。有理数には分数という表記がある。しかし整数にはペアを生かした表記はない」

僕「数の表記ねえ……そういえば、約分って有理数に対する操作じゃないね」

テトラ「え？」

僕「約分というのは有理数という数そのものに対する操作じゃなくて、分数という数の表記に対する操作じゃない？比の値を変えることなく表記を変化させるための操作だよね。繰り返していくと既約分数という標準形に向かっていく操作」

ミルカ「確かにそれはそう」

テトラ「《二つの世界》で対応する概念、他にもありそうです。もっと探しましょうよ！」

ミルカ「ふうん……たとえば、既約分数の裏返しになるが、分数における**最大公約数**はどうか」

4.6 最大公約数

テトラ「分子と分母の最大公約数ですね？」

ミルカ「そう。《積と比の世界》において、分子と分母の両方を最大公約数で割れば一度で既約分数が作れる。《和と差の世界》でこのような最大公約数に対応するものは何か」

テトラ「最大公約数……たとえば、$\frac{18}{36}$ だと、18 と 36 の最大公約数の 18 で割って $\frac{1}{2}$ という既約分数になります。それから、$\frac{12}{18}$ だと、最大公約数の 6 で割って $\frac{2}{3}$ という既約分数になります。そういうことですよね。二つの整数 a と b の最大公約数に似ている概念――それを、二つの非負整数 m と n について探すと何が見つかるか……絶対値？ いや違いますね」

《和と差の世界》		《積と比の世界》
？？？	$\longleftarrow\text{-}\text{-}\text{-}\text{-}\longrightarrow$	最大公約数

僕「分数 $\frac{a}{b}$ で、a と b の最大公約数の役割を考えると――うん、二つの整数 a と b の両方を《それ》で割ると、既約分数に至るような数――それが最大公約数だよね？ 既約分数というのは、もう約分できない分数。割るとしても 1 でしか割れない。でも 1 で分子分母を割っても分数の形は変わらない」

テトラ「ということは……」

僕「うん、非負整数のペア (m, n) で考えるなら、二つの非負整数 m と n の両方から《それ》を引くと、もうそれより引けなくなる数ってことじゃないかな。引くとしても 0 しか引けない。でも 0 を (m, n) の左右の成分から引いても (m, n) の

形は変わらない」

テトラ「ぴったりですっ！　だったら、《それ》は m と n のうち《小さい方の数》でしょうか。引いたら、m と n の少なくとも片方が 0 になるような数です。たとえば $(5, 2)$ なら右成分の 2 で、$(3, 6)$ なら左成分の 3 ですよね」

僕「そうだね！　$m = n$ のときを考えると《大きくない方の数》になる——ああ、要するに m と n の**最小値**だ」

テトラ「《積と比の世界》における左右成分の最大公約数は、《和と差の世界》における左右成分の最小値！」

ミルカ「《積と比の世界》における $\gcd(a, b)$ は、《和と差の世界》における $\min(m, n)$ というわけだ」

$$\min(m, n) = \begin{cases} m & m \leqq n \text{ の場合} \\ n & m > n \text{ の場合} \end{cases}$$

《和と差の世界》　　　　　　　　《積と比の世界》
最小値 $\min(m, n)$　　$\longleftarrow\text{-}\text{-}\text{-}\text{-}\longrightarrow$　最大公約数 $\gcd(a, b)$

テトラ「ペアを組んで新しい数を作るって楽しいですねえ！　もっといろいろ——あっ！　ふっふっふっ……」

僕「テトラちゃん？」

テトラ「先輩……あたしは《他の世界》も見つけてしまいました！」

僕「他の世界？」

テトラ「そうですっ！　《ペアで整数を作る》。《ペアで有理数を作る》。そして、なんと、《ペアで**複素数**を作る》こともできる

じゃないですか！ 複素数 $a + bi$ は、二つの実数 a, b を使って作れますよね！」

4.7 複素数体 ℂ を作ろう

僕「テトラちゃんの言う通り、二つの実数 a, b のペアで複素数が作れるね」

$$複素数\ a + bi \quad \longleftrightarrow \quad 実数のペア\ (a, b)$$

ミルカ「実数のペア (a, b) を使って複素数体ℂを構成できる」

テトラ「複素数体ℂ ということは、加減乗除ができるわけですね」

僕「確かに、確かに。ふだん僕たちが $a + bi$ で計算しているところを (a, b) で表現するのはおもしろいな。たとえば、ペアが等しくなる条件は複素数が等しくなる条件を表すことを考えれば、

$$a + bi = c + di \iff (a, b) = (c, d)$$

になってほしいから、

$$(a, b) = (c, d) \iff a = c \ \text{かつ}\ b = d$$

になるはず」

ミルカ「複素数の加法は、成分ごとに実数の加法を行う」

$$(a + bi) + (c + di) = (a + c) + (b + d)i \iff (a, b) + (c, d) = (a + c, b + d)$$

テトラちゃんは人差し指を口に当て、何かを考え始めた。

テトラ「……お待ちください。$a + bi$ の＋って何でしょう。複素数 $a + bi$ の＋って加法を表しているんでしょうか」

僕「どういう意味？」

テトラ「二つの実数 a, b で複素数 $a + bi$ を作るとき、まだ複素数の加法を定義してませんよね。ということは、$a + bi$ の＋は複素数の加法ではありません。でも a と bi を足すのでしたら実数の加法でもありませんし……」

僕「実数 a と複素数 bi の加法……というのも違うか」

ミルカ「テトラの指摘は鋭いな……複素数の導入で出てくる $a + bi$ において、＋はまだ何者ともいえない。実数のペアを表記するためのパターンのようなものだ。ちょうど、分数の横棒のように」

僕「でも、$a + bi$ は結局は a と bi の和と同じになるよね」

ミルカ「もちろん。複素数の和を定義した後、$a + bi$ という複素数の表記は、複素数 $a + 0i$ と $0 + bi$ の和と同一の複素数を表していることが示されて、表記が妥当だといえる」

テトラ「あたし、数式のいろんな記号が気になってきました」

僕「そういえば、多項式環でも区切りとしての＋が出てきたね」

4.8　虚数単位 i

ミルカ「複素数体の演算では、虚数単位 i の扱いが興味深い」

テトラ「虚数単位 i は、$i^2 = -1$ ですよね？」

僕「ペアだとそれがどのように表現されるか——だね」

テトラ「虚数単位は、いわば、$0 + 1i$ ですから、ペアで表すなら $(0, 1)$ ですが、$i^2 = -1$ になるはずで……ええと？」

僕「そうか、そうか。そこは乗法のルールとして暗黙のうちに現れてくるんだ！」

テトラ「？」

僕「$(a + bi)(c + di) = (ac - bd) + (ad + bc)i$ だから、ペアで考えると、

$$(a, b) \times (c, d) = (ac - bd, ad + bc)$$

になるように定義したい。それでね、この $ac - bd$ のマイナスに $i^2 = -1$ が現れていることになる」

テトラ「え……わかりません」

僕「だって展開したときに $i^2 = -1$ が効いてるのはそこだから」

$$\begin{aligned}
(a + bi)(c + di) &= (a + bi)c + (a + bi)di \\
&= ac + bci + adi + bd\,i^2 \\
&= ac + bci + adi - bd \\
&= (ac - bd) + (ad + bc)i
\end{aligned}$$

テトラ「ああ、なるほど、でも、あの……何だかモヤモヤします」

僕「そう？」

テトラ「ええと、あのですね……あまり、虚数単位が登場したっ！ という感じがしないからです」

僕「それは、整数をペアで作ったときと同じだよ。ペアを眺めた だけでは整数に見えない。でも計算すると整数に見えてくる。 虚数単位も同じじゃないかな」

ミルカ「テトラが主張している $i^2 = -1$ を翻訳してやればいい。 i は $0 + 1i$ だから $(0, 1)$ と表せる。-1 は $-1 + 0i$ だから $(-1, 0)$ と表せる。そして積の定義が

$$(a, b) \times (c, d) = (ac - bd, ad + bc)$$

なのだから、

$$
\begin{array}{ccccc}
i & \times & i & = & -1 \\
\vdots & & \vdots & & \vdots \\
(0,1) & \times & (0,1) & = (0 \times 0 - 1 \times 1, 0 \times 1 + 1 \times 0) = & (-1, 0)
\end{array}
$$

と、確かに $i^2 = -1$ になっている」

テトラ「そ、そうですが……これって、ただの計算ですよね。まっ たく虚数っぽくありません！」

ミルカ「そう、ただの計算だ。i が "虚数単位" というドラマティッ クな名前を持っているために、そこに神秘を求めてしまう。 2乗して負になるなんて不思議だと言いたくなる。しかし、 実数のペアとして複素数を考えるなら、虚数単位は $(0, 1)$ 以 外の何者でもない。ただ、

$$(0, 1) \times (0, 1) = (-1, 0)$$

というだけのこと。どこにも神秘や不思議はない。実数のペ

アを用意して、ただの計算、ただのルールがあるだけだ。し
かしながら、それにもかかわらず複素数という豊かな世界が
生み出されていく[*2]。そこにこそ数学の神秘と不思議があり
──数学の魅力の一つがあるのだ」

4.9　有理数のペアで何が作れる？

テトラ「非負整数のペア、整数のペア、実数のペア……というこ
とは、有理数のペアでも数が作れそうですね」

僕「ちょっと待って。有理数のペアで数を作る──で思い出した
ことがある。有理数 p, q に対して、

$$p + \sqrt{2}q$$

という数を考えられる。試験で何度も出てきたよ」

ミルカ「ふむ」

テトラ「$p + \sqrt{2}q$ で p, q が有理数というのは、たとえば、

$$1 + \sqrt{2} \qquad (p = 1, q = 1)$$

や

$$2 + 3\sqrt{2} \qquad (p = 2, q = 3)$$

ということですね？」

僕「そうだね。この $p + \sqrt{2}q$ という形で表せる数は、二つの有理

[*2] 参考文献 [9]『数学ガールの秘密ノート／複素数の広がり』参照。

数 p, q のペアで表せるよね！」

$$数\ p + \sqrt{2}q \quad \longleftarrow\!-\!-\!-\!\longrightarrow \quad 有理数のペア\ (p, q)$$

テトラ「なるほど……これもまた新しい数になる？」

僕「$p + \sqrt{2}q$ は $q = 0$ の場合は有理数になるけれど、$q \neq 0$ の場合は有理数にならない。つまり、有理数のペア (p, q) は有理数を含んでいるけれど、有理数とは異なる数になりそうだね」

ミルカ「君はペアが好きだな。そのペアが等しくなる条件は？」

僕「そうそう、そうだね。

$$p_1 + \sqrt{2}q_1 = p_2 + \sqrt{2}q_2$$

にうまい具合に対応してほしいわけだから、

$$(p_1, q_1) = (p_2, q_2) \Longleftrightarrow p_1 = p_2 \ \text{かつ} \ q_1 = q_2$$

にする必要がある。これは複素数と同じパターンだな……」

テトラ「ちょっとお待ちください。いまのところ、よくわかりませんでした。どうしてそうする必要があるんでしょうか。他の条件じゃだめなんですか？」

僕「他の条件じゃだめだよ。この式が成り立つ条件を考える。

$$p_1 + \sqrt{2}q_1 = p_2 + \sqrt{2}q_2$$

左辺にすべて移項する。

$$(p_1 + \sqrt{2}q_1) - (p_2 + \sqrt{2}q_2) = 0$$

これを $\sqrt{2}$ で整理すると、こうなる。

$$(p_1 - p_2) + \sqrt{2}(q_1 - q_2) = 0 \quad \cdots\cdots ①$$

これが成り立つことと、

$$p_1 = p_2 \text{ かつ } q_1 = q_2 \quad \cdots\cdots ②$$

が成り立つことは同値になる」

テトラ「え……」

僕「だよね。①ならば②だし、②ならば①だから」

テトラ「②ならば①になるのはわかります。でも、①ならば②だといえるんでしょうか？」

僕「いえるよ。だって、①が成り立っているなら、$(p_1 - p_2)$ を右辺に移項して、

$$\sqrt{2}(q_1 - q_2) = -(p_1 - p_2) \quad \cdots\cdots ③$$

が成り立つ。ここでもし $q_1 \neq q_2$ だと仮定すると、$q_1 - q_2$ は 0 じゃないから、両辺を $q_1 - q_2$ で割って、

$$\sqrt{2} = -\frac{p_1 - p_2}{q_1 - q_2}$$

が成り立つけど、これだと左辺 $\sqrt{2}$ は有理数じゃないのに、右辺は有理数になって矛盾する。だから、$q_1 = q_2$ つまり、

$$q_1 - q_2 = 0$$

がいえる。すると、③から $p_1 - p_2 = 0$ がいえることになるよね。つまり、①から②がいえる」

テトラ「あっ……なるほど、確かに」

ミルカ「これで $p + \sqrt{2}q$ を有理数のペア (p, q) で表すときの等号が定義できた。加法と乗法も適切に定義すれば体が作れる。それは $p + \sqrt{2}q$ に相当する数を構成したことになる」

僕「そうだね。じゃあまず加法から――」

テトラ「す、すみませんっ！ その前に、確認したいことがあります。根本的な話なんですけれど、有理数のペア (p, q) で $p + \sqrt{2}q$ を表すのはいいとして、$\sqrt{2}$ は有理数じゃないですよね。それなのに、使ってもいいんでしょうか」

僕「だから、有理数のペア (p, q) で考えるんだよ、テトラちゃん」

テトラ「意味がわかりません……」

ミルカ「テトラ、複素数体 $\mathbb{C}$ を構成したときと同じだ」

テトラ「うーん……」

ミルカ「$i^2 = -1$ となる数 i は実数には存在しない。しかし、実数のペアでそれを作ることができる。2乗したときに -1 になる乗算のルールを導入することで構成できた」

テトラ「はい。$p + \sqrt{2}q$ の場合も同じになるんですか」

ミルカ「同じになる。$x^2 = 2$ となる数 x は有理数には存在しない。しかし、有理数のペアでそれを作ることができる。2乗したときに2になる乗算のルールを導入することで構成してみようというのだ」

僕「うんうん。適切に定義できるよ」

テトラ「適切に定義……」

ミルカ「$\sqrt{2}$ を $p + \sqrt{2}q$ で表すなら $p = 0, q = 1$ となる。すなわち、$(p, q) = (0, 1)$ というペアが $\sqrt{2}$ を表している。

$$\text{数 } \sqrt{2} \quad \longleftrightarrow \quad \text{有理数のペア } (0, 1)$$

ところで $2 = 2 + 0\sqrt{2}$ は $(p, q) = (2, 0)$ というペアで表される。

$$\text{数 } 2 \quad \longleftrightarrow \quad \text{有理数のペア } (2, 0)$$

だから、有理数のペア (p, q) で $p + \sqrt{2}q$ というパターンの数を表したいなら、ペアの乗算は、

$$(0, 1) \times (0, 1) = (2, 0)$$

を満たすように定義することになる。それは、

$$\sqrt{2} \times \sqrt{2} = 2$$

が成り立ってほしいからだ」

テトラ「あっ、これは先ほど複素数を表すペアで、

$$(0, 1) \times (0, 1) = (-1, 0)$$

が出てきたのとそっくりですっ！　複素数のときは、

$$i \times i = -1$$

が成り立ってほしかったわけですね」

僕「そうだね」

テトラ「でも、いま考えている有理数のペアで、$(0, 1) \times (0, 1) = (2, 0)$ を満たすように、乗算を一般的に定義するにはどうすればいいんでしょう」

僕「知っている答えをこっそり使えばいいんだよ、テトラちゃん。$p_1 + \sqrt{2}q_1$ と $p_2 + \sqrt{2}q_2$ の乗算を計算すればいい」

テトラ「こっそり……」

僕「うん、実際に $p_1 + \sqrt{2}q_1$ と $p_2 + \sqrt{2}q_2$ の積を計算して、$\sqrt{2}$ で整理するんだよ。ここでもまた $\heartsuit + \sqrt{2}\clubsuit$ の形になるようにね。そうすれば、乗算をペア $(\heartsuit, \clubsuit)$ の形で定義できることになる」

$$(p_1 + \sqrt{2}q_1)(p_2 + \sqrt{2}q_2) = (p_1 + \sqrt{2}q_1)p_2 + (p_1 + \sqrt{2}q_1)\sqrt{2}q_2$$
$$= p_1p_2 + \sqrt{2}q_1p_2 + \sqrt{2}p_1q_2 + \sqrt{2}\sqrt{2}q_1q_2$$
$$= \underbrace{(p_1p_2 + 2q_1q_2)}_{\heartsuit} + \sqrt{2}\underbrace{(q_1p_2 + p_1q_2)}_{\clubsuit}$$

テトラ「……」

僕「だから、$p + \sqrt{2}q$ のパターンの数を有理数のペアで表すとき、その乗算は、$\heartsuit$ と $\clubsuit$ を使ったペアになる!

$$(p_1, q_1) \times (p_2, q_2) = (\underbrace{p_1p_2 + 2q_1q_2}_{\heartsuit}, \underbrace{q_1p_2 + p_1q_2}_{\clubsuit})$$

そして $\heartsuit$ と $\clubsuit$ は確かに有理数になってるね」

テトラ「へええ……」

ミルカ「ふむ。この式で $p_1 = p_2 = 0, q_1 = q_2 = 1$ として考えると、

$$\begin{cases} p_1p_2 + 2q_1q_2 = 2 & \cdots\cdots (\heartsuit \text{ の値}) \\ q_1p_2 + p_1q_2 = 0 & \cdots\cdots (\clubsuit \text{ の値}) \end{cases}$$

だから、確かに

$$\sqrt{2} \quad \times \quad \sqrt{2} \quad = \quad 2$$
$$\vdots \qquad\qquad \vdots \qquad\qquad \vdots$$
$$(0,1) \times (0,1) = (2,0)$$

は成り立つ。しかも、有理数同士の積も適切に成り立つ。な
ぜなら、

$$p_1 \quad \times \quad p_2 \quad = \quad p_1 p_2$$
$$\vdots \qquad\qquad \vdots \qquad\qquad \vdots$$
$$(p_1,0) \times (p_2,0) = (p_1 p_2, 0)$$

が成り立っているから」

僕「確かに」

ミルカ「$p + \sqrt{2}q$ 全体の集合は、加法と乗法を

$$(p_1, q_1) + (p_2, q_2) = (p_1 + p_2, q_1 + q_2)$$
$$(p_1, q_1) \times (p_2, q_2) = (p_1 p_2 + 2q_1 q_2, q_1 p_2 + p_1 q_2)$$

と定義すれば体になる」

テトラ「これも体になるんですね」

ミルカ「もちろん体の公理を満たすことは確かめる必要がある[*3]。
$p + \sqrt{2}q$ 全体の集合は、有理数体 $\mathbb{Q}$ に対して $\sqrt{2}$ という要
素を添加して得られる体と呼び、

$$\mathbb{Q}(\sqrt{2})$$

と書く。いま私たちは代数学における体の研究、その入り口

[*3] 章末問題 4-4 参照。

に立っているのだ」

テトラ「体の研究！」

ミルカ「$p + \sqrt{2}q$ 全体の集合は体 $\mathbb{Q}(\sqrt{2})$ になる。そして有理数
　　　 体 $\mathbb{Q}$ をその部分集合として含む。しかし、$\mathbb{Q}(\sqrt{2})$ は実数体 $\mathbb{R}$
　　　 ほどは大きくない。つまり、$\mathbb{Q}(\sqrt{2})$ には属していない実数が
　　　 存在する。たとえば──」

僕「たとえば、$p + \sqrt{2}q$ じゃ $\sqrt{3}$ は表せないね」

ミルカ「そう。$\sqrt{5}$ も $\sqrt{7}$ も、π も e も $p + \sqrt{2}q$ では表せない。
　　　 体同士の相互関係がどうなっているかを考えるのは、体の研
　　　 究で大切なことの一つになる[*4]」

テトラ「何だか、どんどん世界が広がっていくようですっ！ 数を
　　　 扱っていたと思っていたら、いつのまにか数の集合を扱って
　　　 いて、数の集合を扱っていたと思っていたら、いつのまにか
　　　 環や体という代数系を扱っていて……そして、そして、今度
　　　 は代数系同士の関係を考えていたなんて！」

4.10　実数はどうやって作る？

ミルカ「ところで、これまで作った数の**ギャップ**が気になるな」

テトラ「ギャップ？」

ミルカ「集合を使って、非負整数 $0, 1, 2, 3, \ldots$ を作る」

[*4] 参考文献 [4] 『数学ガール／ガロア理論』参照。

僕「うん」

ミルカ「それから、さらに……

- 非負整数のペアを使って、整数を作る。
- 整数のペアを使って、有理数を作る。
- 実数のペアを使って、複素数を作る。

……となると、どう見てもギャップがある」

僕「いや、それは気付いてたよ、ミルカさん。**実数**を作っていないってことだよね」

テトラ「有理数のペアで $\mathbb{Q}(\sqrt{2})$ は作れましたよね。もしかしてギャップを埋めるのは有理数でしょうか」

- 有理数のペアを使って、実数を作る？

僕「いや、でも、有理数のペアじゃ、実数は作れそうにないんだけどな。作れるのかな？」

ミルカ「有理数のペアではなく、有理数の集合のペアを使って実数を作ることはできる」

テトラ「と、いいますと？」

瑞谷先生「下校時間です」

瑞谷先生は、僕たちの高校に勤務している司書の先生だ。瑞谷先生の宣言は、下校時間の宣言であると同時に、僕たちの数学トークがいったん終わりになる宣言でもある。あくまでも、ほんの少しの間だけれど。

"薔薇と rose は同じ香りを放つだろうか。"

第4章の問題

●**問題 4-1**（0 で割る）

第4章本文では、整数のペア (a, b) を使って有理数を作りました（p. 145）。ところでこのとき、$b \neq 0$ すなわち

《右成分は 0 ではない》

という条件が付きます。ここで、ある人が次のように主張しました。

整数のペア $(a_1, b_1), (a_2, b_2)$ が等しいことは、

$$(a_1, b_1) = (a_2, b_2) \iff a_1 \times b_2 = a_2 \times b_1$$

と乗算で定義したので、0 で割ってしまう心配はない。だから《右成分は 0 ではない》という条件は不要だ。

しかし《右成分は 0 ではない》という条件を付けないと、私たちの知っている有理数を作ることはできません。どうしてですか。

（解答は p. 265）

●問題 4-2 （大小関係）

第4章本文では、整数のペア (a, b) を使って有理数を作りました（ただし $b \neq 0$）。この有理数で大小関係を定義しましょう。すなわち、a_1, b_1, a_2, b_2 が整数で $b_1 \neq 0, b_2 \neq 0$ のとき、

$$(a_1, b_1) < (a_2, b_2)$$

を定義してください。ただし、整数同士の大小関係は定義されているものとします。なお、整数同士の大小関係は、章末問題 2-2 （p. 255）を参照してください。

ヒント：$(a_1, b_1) < (a_2, b_2) \Leftrightarrow a_1 b_2 < a_2 b_1$ は誤りです。

（解答は p. 267）

●**問題 4-3**（写像）

非負整数全体の集合を $\mathbb{N}_0$ とし、後続数を得る演算を $\prime$ とします。このとき、$\mathbb{N}_0$ の要素 0 に対して、

$$n' = 0$$

すなわち、

$$\prime: \quad n \longmapsto 0$$

を満たす集合 $\mathbb{N}_0$ の要素 n は存在しません。しかし第 4 章本文では、後続数を得る演算 $\prime$ を集合 $\mathbb{N}_0$ から集合 $\mathbb{N}_0$ への写像といいました（p. 134）。これは写像の定義に反していないでしょうか。

ヒント：集合 X のどの要素に対しても、集合 Y の要素が一つ定まるとき、その対応を集合 X から集合 Y への写像といいます。

（解答は p. 269）

●問題 4-4 (体の公理)

有理数のペア全体の集合を $Q_2 = \mathbb{Q} \times \mathbb{Q}$ で表し、Q_2 の要素 (p_1, q_1) と (p_2, q_2) に対して、加法＋と乗法×を次のように定義します。

$$(p_1, q_1) + (p_2, q_2) = (p_1 + p_2, q_1 + q_2)$$
$$(p_1, q_1) \times (p_2, q_2) = (p_1 p_2 + 2q_1 q_2, q_1 p_2 + p_1 q_2)$$

このとき、Q_2 は体になることを証明してください。

ヒント：以下を証明します。

① Q_2 が加法と乗法で閉じていること（演算の結果もまた Q_2 に属していること）
② Q_2 に加法の単位元（環の零元）が存在すること
③ Q_2 に加法の交換法則が成り立つこと
④ Q_2 に加法の結合法則が成り立つこと
⑤ Q_2 で、任意の要素に加法の逆元が存在すること
⑥ Q_2 に乗法の単位元（環の単位元）が存在すること
⑦ Q_2 に乗法の結合法則が成り立つこと
⑧ Q_2 に分配法則が成り立つこと
⑨ Q_2 で、零元以外の任意の要素に乗法の逆元が存在すること

このうち①〜⑧は環の公理です。①〜⑨が証明できると、第4章本文（p. 163）に登場した $\mathbb{Q}(\sqrt{2})$ が体であると確かめたことになります。

（解答は p. 272）

第5章
デデキントの切断

"私からの手紙が、私からの手紙だとわかりますように。"

5.1　デデキントの切断

テトラ「お、お待たせしましたっ！」

　いまは放課後。

　僕とミルカさんの教室にテトラちゃんが駆け込んできた。僕たちは、先日中断した実数の議論を再開しようというのだ。

ミルカ「では、**デデキントの切断**について話そう」

　ミルカさんが口火を切る。

◎　　◎　　◎

　では、デデキントの切断について話そう。

　数学者デデキントは、実数の理論を基礎付けるために**切断**という概念を考えた。実数の連続性について、数直線が持つ幾何学的イメージに頼ることなく、論理的に議論を展開しようというのだ。

　幾何学的イメージは考えを進めるために有益なので、デデキントもそれを否定していない。しかし、証明そのものは直感を使わ

ずに論理を使って行う。

　デデキントの出発点は有理数体 $\mathbb{Q}$ だ。デデキントは、

- $\mathbb{Q}$ が全順序集合であること

を使って議論を進める。

　$\mathbb{Q}$ が全順序集合であるとは、$\mathbb{Q}$ が全順序の公理[*1]を満たしていることを指す。要するに、私たちがよく知っている大小関係が成り立つことを意味する。

　有理数体 $\mathbb{Q}$ が全順序集合であることによって、私たちは有理数全体の集合を左右に無限に伸びる直線として想像できる。有理数を直線上の点に見立て、有理数の大小関係を、左右の位置関係に見立てるわけだ。しかし、私たちはデデキントにならい、幾何学的イメージに頼ることなく議論を進める。

　デデキントの切断によって私たちは実数を構成する。その際には、有理数体 $\mathbb{Q}$ が全順序集合であることを前提とする。

　ここまでがイントロダクションだ。

◎　　◎　　◎

ミルカ「ここまでがイントロダクションだ」

　ミルカさんの話が途切れるのを待っていたかのように、テトラちゃんが質問の声を上げる。

テトラ「切断というのは、ばっさり切る切断のことでしょうか」

ミルカ「そうだ。ばっさり切る切断のこと。デデキントの切断は英語で "Dedekind cut"（デデキント・カット）という」

[*1] 付録「全順序の公理」参照（p.220）。

テトラ「デデキント・カット——それはいったい、何をカットするんでしょう」

ミルカ「集合だ。与えられた全順序集合を大小に応じて二つの集合に分ける。それを長く伸びた線をカットすることに見立てる。だが、イメージに頼らず、きちんと定義しよう。定義にはもちろん集合を使う」

5.2 切断の定義

切断の定義

全順序集合 S に対して、①, ②, ③, ④ のすべてを満たす二つの集合 A, B を考える。

① 二つの集合 A, B はどちらも空集合ではない。

$$A \neq \{\}, \quad B \neq \{\}$$

② 二つの集合 A, B の共通部分は空集合である。

$$A \cap B = \{\}$$

③ 二つの集合 A, B の和集合は集合 S に等しい。

$$A \cup B = S$$

④ 集合 A の任意の要素 a と、集合 B の任意の要素 b に対して、

$$a < b$$

が成り立つ。

このとき、二つの集合 A, B のペアを集合 S の**切断**と呼び、

$$(A, B)$$

と表す。

ミルカ「これが切断の定義だ。では切断の練習として——」

テトラ「ちょ、ちょっとお待ちください。あたしはまだ理解できていないようです」

　テトラちゃんは、切断の定義を読み返している。

ミルカ「では確認から始めよう。切断の定義の①は理解した？」

テトラ「はい。①は**二つの集合 A, B のどちらも空集合ではない**というのですから、どちらの集合も、少なくとも一つは要素を持っている……ということですね？」

ミルカ「それでいい。では次の②は？」

テトラ「②は……**二つの集合 A, B の共通部分は空集合**ですから、これは、両方の集合に属している要素は一つもないということでしょうか」

ミルカ「そうだ。次に——」

テトラ「③は、**二つの集合 A, B の和集合が集合 S に等しい**というのですが、これがどうも……あのですね、これは、A と B の要素を全部合わせると、ちょうど集合 S の要素になるということですよね？」

僕「テトラちゃんは、①,②,③までちゃんとわかってるよ」

テトラ「わかるといえばわかるんですが、結局のところ何をやっているのかがピンと来ないんです」

ミルカ「①, ②, ③を合わせて考えるなら、集合 S のすべての要素を、集合 A と B の二つの集合にだぶりがなく、もれもなく

　　振り分けている」

- ②から、A と B に属する要素にだぶりはない。
- ③から、A と B に属する要素で S の要素にもれはない。
- そして①と③から、S の要素すべてが A と B のどちらか片
  方だけに集まることはない。

テトラ「なるほど……そういうふうに考えるんですね。確かに、
　　S を A と B に分けているイメージが浮かんできました」

僕「①,②,③は、集合 S を二つの集合 A, B に分けている。そし
　　て、最後の④が重要だね。この条件があるからこそ、大小で
　　切り分けた形になる。要素の大小関係が出てくるのは④だけ
　　だから」

ミルカ「その通り。ここで集合 S の任意の要素 a, b に対して
　　$a < b$ という条件を課すことができるのは、集合 S が全順序
　　集合だからだ。関係 $<$ が定義されているからこそ、任意の要
　　素 a, b について $a < b$ が意味を持つ」

僕「おお、なるほど」

ミルカ「切断の定義の最後、④をテトラは理解している？」

テトラ「集合 S の中から、どの要素 a, b を選んでもいいのですけ
　　れど、a が A の**要素**で、b が B の**要素**なら、必ず、

$$a < b$$

　　が成り立っている——ということですよね？　これが成り立
　　つように、集合 S を A と B に分けるということです」

ミルカ「それでいい。それが集合 S の切断 (A, B) だ」

テトラ「あ、ちょっとお待ちください。でもそのような切断 (A, B) って一つとは限りませんよね？　どの要素を A に入れるかで、いろんな切断が作れそうですが……」

ミルカ「そう、S に対して切断は一つとは限らない」

テトラ「ですよね！」

5.3　整数全体の集合 ℤ の切断

ミルカ「練習として、**整数全体の集合 ℤ の切断**を作ろう。ℤ には私たちが知っている整数の大小関係によって全順序関係が定義されているものとする」

僕「ℤ を、切断の定義に出てきた集合 S だと考えるんだね」

ミルカ「切断を理解したテトラに、ℤ の切断を作ってもらおうか。《例示は理解の試金石》だ」

テトラ「は、はい……たとえば、

- A は、0 以下の整数全体の集合
- B は、0 より大きい整数全体の集合

としたらどうでしょう？　あたしのイメージはこうです」

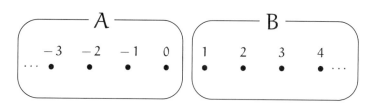

僕「うん、この (A, B) は $\mathbb{Z}$ の切断になっているね」

$$\begin{cases} A = \{x \in \mathbb{Z} \mid x \leqq 0\} & x \in \mathbb{Z} \text{ で } x \leqq 0 \text{ を満たす } x \text{ 全体の集合} \\ B = \{x \in \mathbb{Z} \mid x > 0\} & x \in \mathbb{Z} \text{ で } x > 0 \text{ を満たす } x \text{ 全体の集合} \end{cases}$$

ミルカ「切断になっている——かどうか、テトラに尋ねよう」

テトラ「え……はい、これは $\mathbb{Z}$ の切断になっています」

ミルカ「なぜ、そういえるか」

テトラ「なぜ？ ……ああ、はい。切断の定義から、そういえます！ この集合 A, B はどちらも空集合ではないし、共通の要素はありませんし、両方の要素をすべて集めれば $\mathbb{Z}$ になります。そしてもちろん、A の要素 a と B の要素 b をどんなふうに選んだとしても、必ず $a < b$ になりますから！」

ミルカ「パーフェクト」

テトラ「テトラは切断と《お友達》になってきました！ それならたとえば、こういう (A, B) も $\mathbb{Z}$ の切断ですよね？

- A は、7 以下の整数全体の集合
- B は、7 より大きい整数全体の集合

今度は 7 のところでばっさりです！」

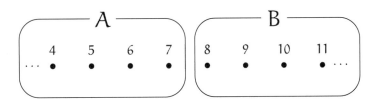

　テトラちゃんはすごいな——と僕は思った。彼女は、焦って先に進まない。必ず、自分の理解を確かめながら進もうとしている。だからこそ、例をすぐに出せるし、その理由まできちんと言えるんだろうな。

僕「……」

ミルカ「テトラに見とれつつ、君は何を考えている？」

僕「見とれているわけじゃなくて、話はどう進むんだろうって考えてるんだよ、ミルカさん。こっ、これから実数を作るんだよね？」

ミルカ「そうだ。だが、テトラがどのくらい切断と《お友達》になったか、確かめてみよう」

テトラ「テ、テストですか？」

ミルカ「**切断クイズ**だよ」

切断クイズ

(A, B) は全順序集合 S の切断とし、x は S の要素、a は A の要素とする。このとき、

$$x \leqq a \quad \text{ならば} \quad x \in A$$

であるか。

テトラちゃんは、しばらく考えてから答える。

テトラ「x は S の要素です。それから、a は A の要素です。そしてさらに $x \leqq a$ なんですから——はい、x は A の要素になります！」

僕「そうだね」

切断クイズの答え

(A, B) は全順序集合 S の切断とし、x は S の要素、a は A の要素とする。このとき、

$$x \leqq a \quad \text{ならば} \quad x \in A$$

である。

ミルカ「それでいい。ではこのことを**証明**できる？」

テトラ「だって、$x \leqq a$ ですから当たり前ですよね」

ミルカ「当たり前？」

テトラ「当たり前だと思うんですが……うまく言えません」

僕「こうかな……まず、x は S の要素で (A, B) は S の切断なんだから、x は A か B のどちらかの要素のはずだよね。a は A の要素だから、もしも x が B の要素だとすると、切断の定義から a < x にならなきゃいけない。でも、与えられた条件は x ≦ a だから a < x ではない。ということは、x は B の要素ではない。すなわち、x は A の要素になる」

ミルカ「それでいい。テトラに証明してほしかったが」

僕「あっと、ごめん……テトラちゃんはわかった？」

テトラ「はい、わかりました。あたしは感覚的に当たり前だと思ってしまったんですが、論理なんですね……」

ミルカ「ふむ。では話を先に進める前に**最大元**と**最小元**という概念を定義しておこう」

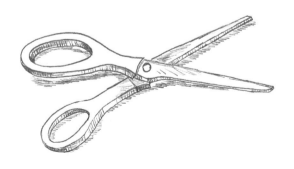

5.4　最大元と最小元

最大元と最小元の定義

A, B はどちらも全順序集合とする。

a が集合 A の要素であり、集合 A の任意の要素 x に対して、

$$x \leqq a$$

が成り立つとき、a を、集合 A の**最大元**という。

b が集合 B の要素であり、集合 B の任意の要素 y に対して、

$$b \leqq y$$

が成り立つとき、b を、集合 B の**最小元**という。

テトラ「はい……はい。

- どんな要素 x に対しても、$x \leqq a$ であるとき、
  a は最大元。
- どんな要素 y に対しても、$b \leqq y$ であるとき、
  b は最小元。

と、そういうことですね。わかった、と思います」

ミルカ「どの集合の要素なのかは意識している?」

- <u>集合 A の</u> 要素 a が、<u>集合 A の</u> どんな要素 x に対しても、
  $x \leqq a$ であるとき、a は <u>集合 A の</u> 最大元。
- <u>集合 B の</u> 要素 b が、<u>集合 B の</u> どんな要素 y に対しても、
  $b \leqq y$ であるとき、b は <u>集合 B の</u> 最小元。

テトラ「あっ、はい、大丈夫です。意識してます」

僕「全順序集合に最大元や最小元がいつも存在するとは限らない
　よね? たとえば、整数全体の集合 $\mathbb{Z}$ には最大元も最小元も
　存在しない。だって、どんな整数 n に対しても、n より大き
　い整数として $n+1$ が存在するし、n より小さい整数 $n-1$
　が存在するから」

ミルカ「そういうこと」

僕「それから、$\max, \min$ を使って、

- 集合 A の最大元を $\max A$
- 集合 B の最小元を $\min B$

と書いてもいいんじゃない? 式で書きやすいし」

ミルカ「集合 A の最大元を max A と書くなら、集合 A の最大元
　　　は、存在するなら唯一であることを<u>証明</u>しておきたい」

テトラ「えっ！ 最大元が二つあったりするんですか？ 最も大き
　　　い要素なのに？」

ミルカ「最大元が複数存在することはない。だが、最も大きいと
　　　いう表現に引きずられず、証明しよう。すぐにできる」

定理

全順序集合 A の最大元は存在するなら唯一である。

証明

集合 A の要素 a_1 と a_2 がどちらも集合 A の最大元とする。

① a_1 は集合 A の最大元で、a_2 は集合 A の要素だから、
$a_2 \leqq a_1$ である。

② a_2 は集合 A の最大元で、a_1 は集合 A の要素だから、
$a_1 \leqq a_2$ である。

A は全順序集合なので、①と②より、$a_1 = a_2$ である[2]。し
たがって、全順序集合 A の最大元は、存在するなら唯一で
ある。

（証明終わり）

---

[2] 付録「全順序の公理」（反対称律）参照（p. 220）。

テトラ「この証明はおもしろいです。①では a_1 が最大元であることを使い、②では a_1 と a_2 の役割を交換して、a_2 が最大元であることを使っています。$a_2 \leqq a_1$ と $a_1 \leqq a_2$ から $a_1 = a_2$ を証明しているんですねっ！」

ミルカ「最小元が存在すれば唯一であることも、いまの証明の言葉を入れ換えるだけで証明できる」

僕「これで、$\max A, \min B$ という表記が使えるね！」

ミルカ「では、**クイズ**を出そう」

クイズ

整数全体の集合 $\mathbb{Z}$ の任意の切断 (A, B) について、$\max A$ と $\min B$ はどちらも存在するといえるか。

僕「集合 A の最大元と、集合 B の最小元の存在か……なるほどね」

テトラ「はい！ いえます！ どんな切断でも、結局はこういう一列に並んだ形になりますから——

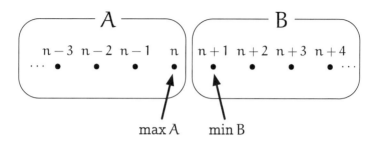

——ここで、集合 A の一番右の要素が A の最大元で、集合 B の一番左の要素が B の最小元になりますよね？」

ミルカ「そういうこと」

僕「ねえ、結局のところ $\mathbb{Z}$ の切断 (A, B) は整数 n を決めて、

$$\begin{cases} A = \{x \in \mathbb{Z} \mid x \leqq n\} \\ B = \{x \in \mathbb{Z} \mid x > n\} \end{cases}$$

だから、

$$\max A = n, \quad \min B = n + 1$$

ということになるはずだね？」

ミルカ「そうだ。いま君が指摘した点は重要だ。整数全体の集合 $\mathbb{Z}$ では、一つの切断 (A, B) が一つの整数 n を定めるし、一つの整数 n が一つの切断 (A, B) を定める」

テトラ「どの整数で $\mathbb{Z}$ をカットするか、ということですね」

僕「……」

5.5　有理数全体の集合 $\mathbb{Q}$ の切断

　急にミルカさんが立ち上がる。

ミルカ「整数全体の集合 $\mathbb{Z}$ では、任意の切断 (A, B) に対して $\max A$ と $\min B$ の両方が存在した」

　彼女は、そう言って僕とテトラちゃんの顔を見比べた。
　ミルカさん、何と楽しそうなんだろう。

テトラ「そうですね」

僕「いいよ」

ミルカ「ここからは、**有理数全体の集合 $\mathbb{Q}$ の切断** (A, B) について考えよう。$\max A$ と $\min B$ はそれぞれ存在するか／存在しないかのいずれかなのだから、全部で 4 通りの場合があるわけだ。それぞれの場合がわかりやすいように、

$$\overset{\bullet\,\bullet}{0}, \overset{\bullet\,\circ}{1}, \overset{\circ\,\bullet}{2}, \overset{\circ\,\circ}{3}$$

のように数字の上に二つの点を置いた名前を付ける。左の点が $\max A$ に、右の点が $\min B$ に対応しており、存在するなら ● を置き、存在しないなら ○ を置くということに決める。すなわち、次のような意味になる。

▶ $\overset{\bullet\,\bullet}{0}$ は、$\max A$ と $\min B$ の両方とも存在する場合。
▶ $\overset{\bullet\,\circ}{1}$ は、$\max A$ は存在するが、$\min B$ は存在しない場合。
▶ $\overset{\circ\,\bullet}{2}$ は、$\max A$ は存在しないが、$\min B$ は存在する場合。
▶ $\overset{\circ\,\circ}{3}$ は、$\max A$ と $\min B$ の両方とも存在しない場合。

$\mathbb{Q}$ の切断について、この 4 つの場合を順番に検討していこう」

5.6 $\mathbb{Q}$ の切断、$\overset{..}{0}$ の検討

▶ $\overset{..}{0}$ は、$\max A$ と $\min B$ の両方とも存在する場合。

テトラ「整数全体の集合 $\mathbb{Z}$ の切断では、$\overset{..}{0}$ の場合だけでした。$\max A$ と $\min B$ の両方が必ず存在しましたから」

僕「でも、有理数全体の集合 $\mathbb{Q}$ の切断では、$\overset{..}{0}$ はあり得ないよね」

ミルカ「**証明**が要るな。$\overset{..}{0}$ があり得ないことの証明」

僕「<u>$\max A$ と $\min B$ の両方が存在する</u> と仮定すると、

$$\max A < c < \min B$$

という有理数 c が存在する。たとえば、

$$c = \frac{\max A + \min B}{2}$$

とすれば具体的に有理数 c を作れるからね」

テトラ「はい、そうですね。二つの有理数 $\max A$ と $\min B$ のあいだには必ず有理数があります」

僕「うん、でも、$\max A < c < \min B$ を満たす有理数 c が存在すると**矛盾**が起きる。なぜなら、

- $\max A < c$ だから、c は A の要素じゃない。
- $c < \min B$ だから、c は B の要素じゃない。

c が集合 A の要素でも集合 B の要素でもないということは、c は $A \cup B = \mathbb{Q}$ の要素でもない。つまり c は有理数じゃない。c は有理数だけど、c は有理数じゃない。これは矛盾だね。この矛盾が生じたのはなぜかというと、<u>$\max A$ と $\min B$ の両方が存在する</u> と仮定したから。したがって $\max A$ と $\min B$ の両方が存在するという $\overset{..}{0}$ の場合はあり得ない……よね？」

ミルカ「その通り。それで、背理法による証明になっている」

テトラ「なるほどです。$\mathbb{Z}$ の切断 (A, B) では、$\max A = n$ で $\min B = n + 1$ という形を具体的に作れて、両方とも存在します。でも、$\mathbb{Q}$ の切断 (A, B) では、$\max A$ と $\min B$ の両方が存在することはありません……それって、$\mathbb{Z}$ と $\mathbb{Q}$ との違いをくっきりさせているみたいです」

僕「そうだね」

ミルカ「$\mathbb{Z}$ では $\overset{..}{0}$ の場合だけ。$\mathbb{Q}$ では $\overset{..}{0}$ の場合はあり得ない。ということは、どんな整数に対しても《次に大きい整数》は存在するが、どんな有理数に対しても《次に大きい有理数》は存在しない——といえる」

僕「なるほどね。整数にも有理数にも大小関係の順序はあるけれど、《次》があるかどうかは全く違うわけか。確かに」

ミルカ「$\overset{..}{0}$ の場合が消えた。有理数全体の集合 $\mathbb{Q}$ の切断 (A, B) について、残っている場合は次の 3 通りだ」

- ► $\overset{\bullet\circ}{1}$は、max A は存在するが、min B は存在しない場合。
- ► $\overset{\circ\bullet}{2}$は、max A は存在しないが、min B は存在する場合。
- ► $\overset{\circ\circ}{3}$は、max A と min B の両方とも存在しない場合。

5.7 $\mathbb{Q}$ の切断、$\overset{\bullet\circ}{1}$の検討

- ► $\overset{\bullet\circ}{1}$は、max A は存在するが、min B は存在しない場合。

テトラ「$\overset{\bullet\circ}{1}$はあり得ると思います。max A はあるのに min B はない切断 (A, B) は作れますよね」

ミルカ「たとえば?」

テトラ「はい、たとえば $\frac{1}{2}$ でばっさり切断するんです。

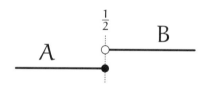

この切断 (A, B) では、A は $\frac{1}{2}$ 以下の有理数全体の集合で、B は $\frac{1}{2}$ より大きい有理数全体の集合になります」

ミルカ「ふむ。確かにこの切断で max A $= \frac{1}{2}$ というのはわかる。ところで min B が存在しないといえるのはなぜか」

テトラ「えっ? だって、B には最小元は存在しないので……」

ミルカ「その**証明**は?」

> **問題 5-1**
> $\frac{1}{2}$ より大きい有理数全体の集合を B とする。$\min B$ が存在しないことを証明せよ。

テトラ「B に最小元が存在しない証明——そ、それって証明できることなんでしょうか？」

ミルカ「できる」

テトラ「B には最も小さな要素といえるものはないから……というのは何も証明してませんね。存在しないことはどうやって証明できるんでしょう」

僕「さっきと同じように背理法を使えばいいよ、テトラちゃん。<u>最小元 $\min B$ が存在する</u>と仮定したら、何が起きるかを考えていくんだ」

テトラ「ごめんなさい……わかりません」

僕「$\min B$ が存在すると仮定したら、

$$\frac{1}{2} < \min B$$

だよね」

テトラ「……もしかして、

$$\frac{1}{2} < c < \min B$$

という有理数 c を考えるんでしょうか」

僕「そうだね。$\frac{1}{2} < c$ と $c < \min B$ を見ると、矛盾が出てくるよ」

テトラ「矛盾……」

ミルカ「c をよく見る」

テトラ「c をよく見る……ああ、わかりました！

- $\frac{1}{2} < c$ ということは、有理数 c は集合 B の要素です。集合 B は $\frac{1}{2}$ より大きい有理数全体の集合だからです。
- $c < \min B$ ということは、有理数 c は集合 B の要素ではありません。集合 B の最小元である $\min B$ よりも c は小さいからです。

ですから、c は集合 B の要素であって、集合 B の要素ではありません。これはおかしいことです！」

ミルカ「矛盾」

テトラ「あ、はい。矛盾です！」

僕「背理法の仮定は <u>$\min B$ が存在する</u> というものだったから、その否定が成り立つ。つまり <u>$\min B$ は存在しない</u> んだね」

解答 5-1

定理

$\frac{1}{2}$ より大きい有理数全体の集合を B とすると、集合 B の最小元 min B は存在しない。

証明

集合 B の最小元 min B が存在すると仮定する。このとき、

$$c = \frac{\frac{1}{2} + \min B}{2}$$

とすると、c は有理数であり、

$$\frac{1}{2} < c < \min B$$

が成り立つ。

- $\frac{1}{2} < c$ より、c は B の要素である。
- $c < \min B$ より、c は B の要素ではない。

これは矛盾である。よって背理法により、集合 B の最小元 min B は存在しない。

(証明終わり)

テトラ「はい。確かにこれで、$\frac{1}{2}$ より大きい有理数全体の集合 B に最小元は存在しないということが証明できました……あたし、ヒント出していただかないと証明できないですね」

僕「さっきテトラちゃんも言ったけど、存在しないことの証明は

難しいよね。存在しないものはどうしようもないから。だから、<u>それが存在する</u>と仮定して矛盾を導くという背理法がうまくいくんだ。だって、それが存在すると仮定することで、とにかく計算が始められるからね」

テトラ「なるほどです」

5.8 $\mathbb{Q}$ の切断、$\overset{..}{2}$ の検討

▶ $\overset{..}{2}$ は、$\max A$ は存在しないが、$\min B$ は存在する場合。

ミルカ「有理数全体の集合 $\mathbb{Q}$ の切断で、$\overset{.}{1}$ の場合があり得ることがわかった。同じように $\overset{..}{2}$ もあり得る。それは $\overset{.}{1}$ で $\max A$ の要素を集合 A から集合 B に移した新たな切断を考えればいいから」

テトラ「わかります。たとえば、$\overset{..}{2}$ はこういう場合ですね」

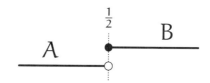

僕「そうだね」

ミルカ「ここで境界となる有理数の存在に注目しておこう」

僕「うんうん」

ミルカ「$\overset{.}{1}$ の場合、$\max A$ という有理数がいわば境界となってい

て、有理数を一つ定めればそれに対応した1の切断が一つ定
まる。また逆に1の切断を一つ定めればそれに対応した境界
となる有理数が一つ定まる。もちろん、2の場合でも同様だ」

僕「なるほど……切断と有理数が対応しているんだね!」

テトラ「境界となる有理数というのは、先ほどのあたしの例だと
$\frac{1}{2}$ のことですね? よくわかります。そこで切断している感
じがしていましたから。1と2は、その有理数を A に入れる
か B に入れるかだけの違いですねっ!」

ミルカ「そういうことだ。では最後の3の場合を検討しよう」

5.9 ℚ の切断、3の検討

▶ 3は、max A と min B の両方とも存在しない場合。

テトラ「ℚ の切断、いよいよラスボスですっ! あ、でも、3はあ
り得ませんよね。だって境界となる有理数がない切断ですか
ら、スカッと空振りになります」

僕「いやいや、違うよ——ここがおもしろいところだね!」

テトラ「3というのは、max A も min B も存在しないんですよ?
両方白丸ですよ? そんな切断、あり得ないです!」

僕「違うよ、テトラちゃん。3の具体例は実際に作れる」

テトラ「両方白丸なのに?」

僕「有理数じゃないもの、たとえば $\sqrt{2}$ を境界とする切断を考えるんだ」

テトラ「え……」

僕「具体的にはこうする。

- 集合 A は、$\sqrt{2}$ より小さい有理数全体の集合とする。
- 集合 B は、$\sqrt{2}$ より大きい有理数全体の集合とする。

と決めると、確かに (A, B) は $\mathbb{Q}$ の切断になっているし、ちゃんと3の場合になってるよね」

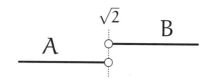

テトラ「先輩、それはまずいですよ。だっていま、あたしたちは有理数しか知らないことになっているんですよね。それなのに、有理数じゃない $\sqrt{2}$ を持ち出してくるなんて！」

僕「おっと、ごめんごめん。$\sqrt{2}$ を持ち出したのは確かにまずかった。でも、同じ切断を $\sqrt{2}$ は表に出さずに作れるよ。集合 B の方は、2乗したら2より大きくなる正の有理数全体の集合として、集合 A は、B に属していない有理数全体の集合にすればいいから」

テトラ「はあ……」

僕「つまり、こういうこと」

$$\begin{cases} A = \{x \in \mathbb{Q} \mid x \leqq 0 \text{ または } x^2 \leqq 2\} \\ B = \{x \in \mathbb{Q} \mid x > 0 \text{ かつ } x^2 > 2\} \end{cases}$$

テトラ「$\sqrt{2}$ を持ち出していませんね……」

ミルカ「ここまでの議論を整理しておこう。有理数全体の集合 $\mathbb{Q}$ の切断について、こうなった」

▶ $\overset{\cdot\cdot}{0}$ はあり得ない。

▶ $\overset{\cdot}{1}$ はあり得る。$\max A$ が存在する場合。

▶ $\overset{\cdot\cdot}{2}$ はあり得る。$\min B$ が存在する場合。

▶ $\overset{\circ\circ}{3}$ はあり得る。$\max A$ も $\min B$ も存在しない場合。

僕「もうわかったよ。$\overset{\cdot}{1}$ と $\overset{\cdot\cdot}{2}$ は境界となる有理数を A, B どちらに置くかだけの違いだからまとめて考えて、

　　● $\overset{\cdot}{1}$ と $\overset{\cdot\cdot}{2}$ は有理数を定める。

　　● $\overset{\circ\circ}{3}$ は無理数を定める。

としたいんだね。有理数と無理数を合わせたものが実数だから、有理数全体の集合 $\mathbb{Q}$ の切断 (A, B) を使って、実数全体の集合 $\mathbb{R}$ を構成したことになる！」

テトラ「ああ……なるほど！」

ミルカ「その通り。さらにここで、$\overset{\cdot}{1}$ と $\overset{\cdot\cdot}{2}$ をまとめて扱うために、

制約 ♡

$\mathbb{Q}$ の切断 (A, B) で、$\min B$ が存在しないものだけを扱う。

　という制約 ♡ を便宜的に与える。$\mathbb{Q}$ の切断を使って実数を
　構成したいという私たちの目的のためには、$\overset{\bullet}{1}$と$\overset{\bullet\bullet}{2}$の区別は
　不要だからだ。制約 ♡ があれば$\overset{\bullet\bullet}{2}$を考えずに済む」

僕「なるほどね。制約 ♡ で$\overset{\bullet\bullet}{2}$を落としてやれば、$\mathbb{Q}$ の切断 (A, B)
　は$\overset{\bullet}{1}$と$\overset{\bullet\bullet\bullet}{3}$の二通りに限られて場合分けが減る。$\overset{\bullet}{1}$が有理数を
　定め、$\overset{\bullet\bullet\bullet}{3}$が無理数を定めることにするんだね！」

$\mathbb{Q}$ の切断 (A, B) で、$\overset{\bullet}{1}$の場合　←----→　実数のうち、有理数
$\mathbb{Q}$ の切断 (A, B) で、$\overset{\bullet\bullet\bullet}{3}$の場合　←----→　実数のうち、無理数

テトラ「有理数と無理数……つまり、実数が作れました！」

ミルカ「実数が作れた——と言いたいところだが、まだだ。$\mathbb{Q}$ の
　切断を私たちが知っている実数として扱うことはまだできな
　い。私たちが実数に期待する性質を切断 (A, B) に付与してい
　く必要がある。等値関係を定義し、大小関係を定義し……」

テトラ「そういうことですか。まだできたてのほやほやで、何も
　味がついてないのですね」

ミルカ「テトラは実数を食べる気なのか」

5.10　$\mathbb{Q}$ の切断（等値関係）

テトラ「さっそく、有理数全体の集合 $\mathbb{Q}$ の切断に対して等値関係
　を定義していきましょう！」

僕「切断を二つ用意して、切断が等しいとはどういうことかを定
　義するんだね」

ミルカ「そうだな。私たちは $\mathbb{Q}$ の切断 (A_1, B_1) と (A_2, B_2) に対して、

$$(A_1, B_1) = (A_2, B_2)$$

を定義したい」

テトラ「$(A_1, B_1) = (A_2, B_2)$ を、集合のイコールを使って定義するわけですよね。たとえば、こんなふうに定義すればいいんでしょうか」

$$(A_1, B_1) = (A_2, B_2) \Longleftrightarrow A_1 = A_2 \text{ かつ } B_1 = B_2$$

ミルカ「$A_1 = A_2$ だけでいいな」

テトラ「？」

僕「(A_1, B_1) と (A_2, B_2) はどちらも $\mathbb{Q}$ の切断だから、$A_1 = A_2$ なら当然 $B_1 = B_2$ になるからだね」

テトラ「ああ、そうですね。有理数のうち A_1 の要素以外を全部集めたものが B_1 で、A_2 の要素以外を全部集めたものが B_2 ですから」

僕「そうそう。だから、$\mathbb{Q}$ の切断が等しいことは、

$$(A_1, B_1) = (A_2, B_2) \Longleftrightarrow A_1 = A_2$$

と定義すればいいね」

ミルカ「$(A_1, B_1) = (A_2, B_2)$ を $A_1 = A_2$ で定義すればいいという感覚を言語化しておこう。まず、集合のイコール（$=$）によって、切断のイコール（$=$）が $\mathbb{Q}$ の切断全体の集合における等値関係になってくれるのでいい。また、切断 (A_1, B_1) が 1 の

場合は $A_1 = A_2$ によって切断 (A_2, B_2) も $\overset{\bullet}{1}$ になり、しかも $\max A_1 = \max A_2$ となる。これは、(A_1, B_1) と (A_2, B_2) の境界となっている有理数が等しいことと整合性があるので $\overset{\bullet}{\text{い}}$ い」

僕「おお、確かに。そこまで僕の中では言語化できていなかったな——そうか、ここですでに制約 $\heartsuit$（p. 197）が効いているんだね！」

テトラ「え？」

僕「だって、もしも $\overset{\bullet}{1}$ と $\overset{\bullet}{2}$ の両方があり得るとしてしまったら、切断 (A_1, B_1) が $\overset{\bullet}{1}$ で、切断 (A_2, B_2) が $\overset{\bullet}{2}$ で、

$$\max A_1 = \min B_2$$

のときに、ややこしいことになる」

テトラ「ややこしい……こと？」

僕「このとき切断 (A_1, B_1) と (A_2, B_2) の境界となる有理数は $\max A_1 = \min B_2$ だから、両方とも等しい有理数を表す切断になってほしい。でも、この境界が A_1 にあるか B_2 にあるかという《一点違い》があると、$A_1 \neq A_2$ になってしまうから $(A_1, B_1) = (A_2, B_2)$ を $A_1 = A_2$ では定義できない。だとすると、切断では《一点違い》までは等しいと見なす……みたいな面倒な条件が必要になっちゃう」

テトラ「それは確かにややこしいです。図に描くとこういう状況のことですね」

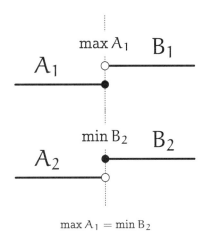

$$\max A_1 = \min B_2$$

僕「制約 ♡ で $\overset{\bullet}{2}$ を落とすから、ℚ の切断に関する等値関係を、

$$(A_1, B_1) = (A_2, B_2) \Longleftrightarrow A_1 = A_2$$

とシンプルに定義できるんだね」

5.11　ℚ の切断（大小関係）

テトラ「ℚ の切断の《等しい》が定義できました。ええと、次は
　　　《大きい》の定義になりますが……大小関係も集合を使って
　　　表すんですか？」

僕「あっ！」

テトラ「きゃあっ！」

僕「ノイマンの方法と、同じ考え方が使えるんじゃない?!」

テトラ「？」

僕「ノイマンの方法で非負整数を考えたとき、m と n の大小関
係 $\leqq$ は、

$$m \leqq n \Longleftrightarrow m \subset n$$

として定義できることがわかる[*3]。これと同じように考えて、
切断 (A_1, B_1) と (A_2, B_2) に対して、

$$(A_1, B_1) \leqq (A_2, B_2) \Longleftrightarrow A_1 \subset A_2$$

とすればいけそうだよ！　ああ、これはきれいだ！」

テトラ「$A_1 \subset A_2$ で定義するなら、$\leqq$ というよりも $<$ ではあり
ませんか？」

$$(A_1, B_1) < (A_2, B_2) \Longleftrightarrow A_1 \subset A_2 \qquad (?)$$

ミルカ「テトラの懸念は、集合の**包含関係**をどのように表現する
かという流儀の問題だ。たとえば次の二つの流儀が考えられ
る。どちらの流儀を選ぼうが、はっきり定めていれば数学的
な内容に影響はない」

▶**流儀1**　流儀1では、「$X \subset Y$」という表記で、集合 X の任意の
要素が集合 Y の要素であることを表す。

　　　流儀1で「$X \subset Y$」という表記は、$X = Y$ の場合を含んでいる。流
　　　儀1で $X = Y$ の場合を除きたいときには、「$X \subset Y$ かつ $X \neq Y$」
　　　や、「$X \subsetneq Y$」や、「$X \subsetneqq Y$」と表記する。

▶**流儀2**　流儀2では、「$X \subset Y$」という表記で、集合 X の任意
の要素が集合 Y の要素であり、しかも $X \neq Y$ であることを

[*3] 章末問題 1-6 別解参照（p. 252）。

表す。

> 流儀2で「$X \subset Y$」という表記は、$X = Y$ の場合を含まない。流儀2で $X = Y$ の場合も含めたいときには、「$X \subset Y$ または $X = Y$」や、「$X \subsetneq Y$」や、「$X \subseteqq Y$」と表記する。

テトラ「なるほど。私たちはどちらにしましょう」

ミルカ「私たちは流儀1で進む。つまり、「$X \subset Y$」は、集合 X の任意の要素が集合 Y の要素であることを表すものとする。$X \subset Y$ は、$X = Y$ の場合を含むということ[*4]」

テトラ「$A_1 \subset A_2$ が $A_1 = A_2$ の場合を含むとしたら、$\mathbb{Q}$ の切断の大小関係を、

$$(A_1, B_1) \leqq (A_2, B_2) \Longleftrightarrow A_1 \subset A_2$$

と定義するのはわかりました」

僕「これで $\mathbb{Q}$ の切断に関する等値関係と大小関係が定義できたことになるね」

$$(A_1, B_1) = (A_2, B_2) \Longleftrightarrow A_1 = A_2$$

$$(A_1, B_1) < (A_2, B_2) \Longleftrightarrow A_1 \subset A_2 \text{ かつ } A_1 \neq A_2$$

ミルカ「定義できた——と言いたいところだが、まだだ」

僕「え？ 切断の等値関係と大小関係を、集合の等値関係と包含関係を使って表したからいいと思ったんだけど……そうか、切断の大小関係が有理数の大小関係と整合性があるかどうかのチェックがいるんだね」

[*4] p.253 の補足（部分集合）も参照してください。

テトラ「整合性？」

5.12 ℚの切断（整合性）

僕「切断が $\overset{\bullet}{1}$ の場合、その切断は有理数を表していてほしいんだから、僕たちが定義した切断の大小関係が、ちゃんと有理数の大小関係と一致していることを確かめる必要があるんだ」

テトラ「ああ……等値関係と同じですね」

僕「でもすぐにわかるよ。だって、切断が $\overset{\bullet}{1}$ の場合、$(A_1, B_1) < (A_2, B_2)$ は $\max A_1 < \max A_2$ を意味するから、ちゃんと境界の有理数の大小関係と一致している」

ミルカ「$(A_1, B_1) < (A_2, B_2)$ は $A_1 \subset A_2$ かつ $A_1 \neq A_2$ だが、そのときに $\max A_1 < \max A_2$ であることは**証明**がいる」

問題 5-2

(A_1, B_1) および (A_2, B_2) を有理数全体の集合 ℚ の切断とし、A_1, A_2 にはいずれも最大元が存在すると仮定する。このとき、

$$A_1 \subset A_2 \text{ かつ } A_1 \neq A_2$$

ならば、

$$\max A_1 < \max A_2$$

である。これを証明せよ。

テトラ「ええと、ええと、A_1 の要素は必ず A_2 の要素なんですよ
　　　ね。だとしたら、$\max A_1 < \max A_2$ は当たり前だと言いた
　　　くなるんですが……」

ミルカ「当たり前だと言いたくなるところで、理由を説明するの
　　　が証明だ」

僕「わかった。僕がちゃんと証明する」

解答 5-2
証明 $A_1 \subset A_2$ かつ $A_1 \neq A_2$ ならば、

$$x \notin A_1 \text{ かつ } x \in A_2$$

を満たす x が存在する。切断 (A_1, B_1) で $x \notin A_1$ だから
$x \in B_1$ である。$\max A_1$ は A_1 の要素だから $\max A_1 < x$
である。$x \in A_2$ から $x \leqq \max A_2$ である。したがって、
$\max A_1 < x \leqq \max A_2$ から、$\max A_1 < \max A_2$ である。
（証明終わり）

テテラ「なるほど……これで有理数の大小関係と整合性が取れた
　　　ので、ℚ の切断に関する等値関係と大小関係は、このように
　　　定義すればいいことになりますね」

$$(A_1, B_1) = (A_2, B_2) \Longleftrightarrow A_1 = A_2$$
$$(A_1, B_1) < (A_2, B_2) \Longleftrightarrow A_1 \subset A_2 \text{ かつ } A_1 \neq A_2$$

ミルカ「定義できた――と言いたいところだが、まだだ。任意の

切断同士を比較できる保証が必要になる」

テトラ「比較できる保証？」

5.13　$\mathbb{Q}$ の切断（比較律）

ミルカ「$\mathbb{Q}$ の切断 (A_1, B_1) と (A_2, B_2) に対して、

- $A_1 = A_2$ ならば、$(A_1, B_1) = (A_2, B_2)$
- $A_1 \subset A_2$ かつ $A_1 \neq A_2$ ならば、$(A_1, B_1) < (A_2, B_2)$
- $A_2 \subset A_1$ かつ $A_2 \neq A_1$ ならば、$(A_2, B_2) < (A_1, B_1)$

と決めることができた。あとは、

$$A_1 \subset A_2 \text{ または } A_2 \subset A_1$$

が成り立つことを**証明**する。すなわち、**比較律**の証明だ。これが証明できれば、

$$(A_1, B_1) \leqq (A_2, B_2) \text{ または } (A_2, B_2) \leqq (A_1, B_1)$$

が成り立ち、$\mathbb{Q}$ の切断をすべて集めた集合は全順序集合になる。それは、実数全体の集合に私たちが期待することだ。全順序の公理のうち、比較律以外はすぐに証明できる」

僕「比較律が成り立つのは集合 A_1 と A_2 の包含関係から当たり前……いや、そう簡単じゃないか。切断であることを使う必要があるね。要素の大小関係に置き換えていけばいいかな？順番に考えるよ」

◎　　◎　　◎

　順番に考えるよ。いまから証明したいのは、

$$A_1 \subset A_2 \text{ または } A_2 \subset A_1$$

が成り立つこと。$A_1 = A_2$ の場合には成り立つから、$A_1 \neq A_2$ のときに成り立つことを示せばいい。

　$A_1 \neq A_2$ というのはどういうことかというと、A_1 と A_2 の片方だけに属する要素 x があるということ。つまり、

① $x \notin A_1$ かつ $x \in A_2$
② $x \in A_1$ かつ $x \notin A_2$

のどちらかが成り立つ……あ、これはさっきの解答 5-2 と同じ論理展開だぞ！

　①の場合は、$x \notin A_1$ だから、$x \in B_1$ になる。そうすると、A_1 の任意の要素 a_1 について、$a_1 < x$ になる。さらに、$x \in A_2$ だから、$a_1 < x$ により、$a_1 \in A_2$ になる。よって、A_1 の任意の要素 a_1 は A_2 に属している。すなわち、$A_1 \subset A_2$ になる。

　②の場合は、①の場合の (A_1, B_1) と (A_2, B_2) を入れ換えれば、$A_2 \subset A_1$ になる。

　したがって、$A_1 \subset A_2$ または $A_2 \subset A_1$ が示された。

◎　　◎　　◎

僕「したがって、$A_1 \subset A_2$ または $A_2 \subset A_1$ が示された」

ミルカ「それでいい」

テトラ「ちょ、ちょっとお待ちください。いまのお話の中で、

$$x \in A_2 \text{ だから、} a_1 < x \text{ により、} a_1 \in A_2 \text{ になる。}$$

の理由がわかりませんでした」

僕「a_1 は、A_2 と B_2 のどちらかの要素になる。もしも a_1 が B_2 の要素だったら、a_1 は A_2 のどの要素よりも大きくなければいけない。でも、$x \in A_2$ で $a_1 < x$ だから、a_1 は A_2 の要素である x よりも小さい。なので、a_1 は A_2 の要素になるんだよ」

テトラ「ええと……」

ミルカ「この議論は切断クイズの答え（p. 180）とほぼ同じだ」

テトラ「あっ！　確かに……」

僕「これで、$\mathbb{Q}$ の切断がだいぶ実数に近づいたんじゃないかな？」

ミルカ「ここまでで、無味無臭だった $\mathbb{Q}$ の切断に対して、等値関係と大小関係を使った全順序関係が入った。しかもそれは、有理数の全順序関係と整合性が取れている」

テトラ「有理数との整合性……ええと、あたしたちは切断の境界を実数にしたいわけですよね。有理数だけじゃなくて、無理数も含めた実数との整合性は取れているんでしょうか。たとえば境界の実数を r とすると、あたしはこういうイメージを持ってるんですが……」

ミルカ「いまのテトラの質問に正確に答えるのは難しい。私たちは $\mathbb{Q}$ を既知として、$\mathbb{Q}$ の切断で実数を構成しようとしている。その立場でいうなら、$\mathbb{Q}$ の切断こそが実数だから整合性は当然に取れてしまう。しかしそれは、私たちの期待する実数なのか。それを確かめるには $\mathbb{Q}$ の切断とは別に実数を定

義し、ℚ の切断がその実数と整合性を持つかどうかを調べる
方法がある。たとえば、実数の公理を与えておき、ℚ の切断
がその公理を満たすのを示すことになる」

テトラ「……」

ミルカ「ともあれ、ここまでで有理数全体の集合 ℚ の切断で構成
　　　した集合 ℝ について、等値関係と大小関係を定義したことに
　　　なる。その定義で使ったのは、集合と論理であって、幾何学
　　　的イメージではない」

テトラ「そうですねえ……」

僕「でも、ここからさらに加減乗除の演算まで定義していくのは
　　遠そうだなあ」

ミルカ「それほどではないが、非負整数のペアで整数を作り、整
　　　数のペアで有理数を作るのとはだいぶ違う[*5]」

テトラ「あたしの一番の驚きは、ℚ の切断で $\overset{\circ\circ}{\mathbf{3}}$ の場合があり得る
　　　点でした。証明があったとしても、有理数で白丸と白丸があ
　　　り得るのはいまでもちょっと不思議です……」

僕「まさにその ℚ の切断で $\overset{\circ\circ}{\mathbf{3}}$ の場合が無理数を生み出したわけだ
　　よね。そこがおもしろいと思う！ 集合のペアによって、そ
　　の集合に属さない新たな数を作り出せる！」

ミルカ「そうだな」

テトラ「あっ！ あああああっ！ だとしたらっ！」

---

*5 切断で構成した実数の演算は、参考文献 [19], [20], [24] を参照。

テトラちゃんが急に立ち上がる。

僕「びっくりした。どうしたの?」

テトラ「有理数全体の集合 $\mathbb{Q}$ を切断して、実数全体の集合 $\mathbb{R}$ が作れるんですよね。だとしたら、もう一歩進められませんか?」

僕「もう一歩って?」

テトラ「つまりですね、今度は**実数全体の集合 $\mathbb{R}$ を切断**して、新しい数を作るんですよっ! そうですよ、そうですよ。$\mathbb{R}$ の切断について、また $\ddot{0}, \ddot{1}, \ddot{2}, \ddot{3}$ を考えましょうっ! そうすれば、$\ddot{3}$ の場合から、実数を超えた新しい数が生み出されるはずですっ!」

テトラちゃんは、興奮して話しながら両腕を大きく広げる。

5.14 実数全体の集合 $\mathbb{R}$ の切断

僕「$\mathbb{R}$ をさらに切断する! そりゃ、すごい発想だな!」

ミルカ「テトラ、あなたは何者?」

ミルカさんは、優しく静かな声で言った。

テトラ「デデキントさんが $\mathbb{Q}$ から始めたように、あたしたちは $\mathbb{R}$ から始めるんですっ!」

ミルカ「テトラの考えは素晴らしい。驚くべき考えだ」

テトラ「あたしたちがデデキントさんの続きをするんですよっ!」

ミルカ「だが残念ながら、そうはいかない。テトラ」

テトラ「ど、どうしてですかっ？ $\mathbb{Z}$ で切断を考えましたし、$\mathbb{Q}$ で
　　　も切断を考えました。$\mathbb{R}$ で切断を考えることも可能なのでは
　　　ありませんか？」

ミルカ「$\mathbb{R}$ で切断を考えることはできる。その点でテトラは正し
　　　い。しかし、$\mathbb{Q}$ の切断のときのように新しい数はできない。
　　　$\mathbb{Q}$ の切断で新しい数ができたのは、$\overset{\circ\circ}{3}$ によって、$\mathbb{Q}$ に属さ
　　　ない境界を考えることができたからだ。だが、実数全体の集
　　　合 $\mathbb{R}$ の切断では $\overset{\circ}{1}$ と $\overset{\circ\circ}{2}$ のみになる」

テトラ「え……」

ミルカ「まず、$\mathbb{Q}$ の切断のときと同様に、$\mathbb{R}$ の切断のときも $\overset{\circ\circ}{0}$ の
　　　場合はあり得ない」

> ▶ $\max A$ と $\min B$ の両方が存在したと仮定するなら、

$$c = \frac{\max A + \min B}{2}$$

という実数 c が存在し、

$$\max A < c < \min B$$

が成り立つ。しかし、(A, B) が $\mathbb{R}$ の切断であることから、c は実数
ではないので矛盾。したがって $\max A$ と $\min B$ が存在すること
はない。

テトラ「それはわかります。$\overset{\circ\circ}{0}$ はいいんです。問題は $\overset{\circ\circ}{3}$ ですっ！」

ミルカ「$\mathbb{Q}$ の切断では $\overset{\circ\circ}{3}$ の場合があった。しかし、$\mathbb{R}$ の切断で
　　　は $\overset{\circ\circ}{3}$ の場合はあり得ない。そしてこれは $\mathbb{Q}$ と $\mathbb{R}$ の重要な違
　　　いだ。$\mathbb{R}$ の切断で $\overset{\circ\circ}{3}$ の場合がないことを**実数の連続性**という。

有理数には連続性はない。実数には連続性がある」

テトラ「で、でも——」

テトラちゃんはそこで決然と顔を上げる。

テトラ「**証明**が知りたいです。ℝ の切断で**3**の場合があり得ない ことは、証明されていますか？」

ミルカ「デデキント自身が、それを証明している」

テトラ「あっ……」

ミルカ「デデキントは、ℝ の切断は**1**と**2**のみになり、**3**の場合 があり得ないことを証明した。すなわち、ℝ の切断が作る数 は、ℚ の切断で定まる実数にほかならない。デデキントの証 明を追っていこう」

◎　　◎　　◎

定理

ℚ の切断をすべて集めた集合を ℝ とする。集合 ℝ の任意の切 断 $(A_\mathbb{R}, B_\mathbb{R})$ において、$\max A_\mathbb{R}$ と $\min B_\mathbb{R}$ の片方のみが存在する。

証明

$(A_\mathbb{R}, B_\mathbb{R})$ を集合 ℝ の切断の一つとする。

▶ ℝ は ℚ の切断をすべて集めた集合だから、集合 $A_\mathbb{R}$ の要素なら びに集合 $B_\mathbb{R}$ の要素は、いずれも ℚ の切断である。

▶ もしも $\max A_\mathbb{R}$ が存在するなら、$\max A_\mathbb{R}$ は $A_\mathbb{R}$ の要素なので ℚ の切断であることに注意。同様に、もしも $\min B_\mathbb{R}$ が存在するな ら、$\min B_\mathbb{R}$ は $B_\mathbb{R}$ の要素なので ℚ の切断であることに注意。

▶ 以下では、ℝ の切断 $(A_\mathbb{R}, B_\mathbb{R})$ から、ℚ の切断 $(A_\mathbb{Q}, B_\mathbb{Q})$ を構成

し、この $(A_{\mathbb{Q}}, B_{\mathbb{Q}})$ が $\max A_{\mathbb{R}}$ と $\min B_{\mathbb{R}}$ のいずれか片方になることを示していく。

$A_{\mathbb{R}}$ の要素の中で、$\overset{\bullet}{1}$の場合となる $\mathbb{Q}$ の切断 (A, B) の $\max A$ をすべて集めた集合を $A_{\mathbb{Q}}$ とする。

> ▶ $A_{\mathbb{R}}$ の要素はいずれも $\mathbb{Q}$ の切断である。$\overset{\bullet}{1}$の場合となる $\mathbb{Q}$ の切断 (A, B) というのは、$\max A$ が存在する場合という意味である。もちろん $\max A \in \mathbb{Q}$ である。$A_{\mathbb{R}}$ の要素のうち、$\max A$ が存在する切断 (A, B) の $\max A$ をすべて集めたものに $A_{\mathbb{Q}}$ と名前を付けた。$A_{\mathbb{Q}} \subset \mathbb{Q}$ である。

$B_{\mathbb{R}}$ の要素の中で、$\overset{\bullet}{1}$の場合となる $\mathbb{Q}$ の切断 (A, B) の $\max A$ をすべて集めた集合を $B_{\mathbb{Q}}$ とする。

> ▶ $A_{\mathbb{Q}} \subset \mathbb{Q}$ であるのと同様に、$B_{\mathbb{Q}} \subset \mathbb{Q}$ である。

このとき、$(A_{\mathbb{Q}}, B_{\mathbb{Q}})$ は $\mathbb{Q}$ の切断である。

> ▶ $(A_{\mathbb{Q}}, B_{\mathbb{Q}})$ が $\mathbb{Q}$ の切断なのは、$(A_{\mathbb{R}}, B_{\mathbb{R}})$ が $\mathbb{R}$ の切断であることから導ける。また、$(A_{\mathbb{Q}}, B_{\mathbb{Q}})$ は $\mathbb{Q}$ の切断なので、$(A_{\mathbb{Q}}, B_{\mathbb{Q}}) \in \mathbb{R}$ である。

ここから、$\mathbb{R}$ の任意の要素 (A, B) に対して、

① $(A, B) < (A_{\mathbb{Q}}, B_{\mathbb{Q}}) \Longrightarrow (A, B) \in A_{\mathbb{R}}$

② $(A_{\mathbb{Q}}, B_{\mathbb{Q}}) < (A, B) \Longrightarrow (A, B) \in B_{\mathbb{R}}$

を示す。

> ▶ ①と②を示せば何が導けるのか。$(A, B) \in \mathbb{R}$ で $(A_{\mathbb{Q}}, B_{\mathbb{Q}}) \in \mathbb{R}$ であるから、①と②より、$\mathbb{R}$ の要素 $(A_{\mathbb{Q}}, B_{\mathbb{Q}})$ は、
> - $(A_{\mathbb{Q}}, B_{\mathbb{Q}}) \in A_{\mathbb{R}}$ ならば、$(A_{\mathbb{Q}}, B_{\mathbb{Q}}) = \max A_{\mathbb{R}}$
> - $(A_{\mathbb{Q}}, B_{\mathbb{Q}}) \in B_{\mathbb{R}}$ ならば、$(A_{\mathbb{Q}}, B_{\mathbb{Q}}) = \min B_{\mathbb{R}}$
> となることが導ける。

【①の証明】 $(A, B) < (A_{\mathbb{Q}}, B_{\mathbb{Q}})$ とする。このとき、$q \notin A$ かつ $q \in A_{\mathbb{Q}}$ を満たす $\mathbb{Q}$ の要素 q が存在する。

▶ なぜなら、$\mathbb{Q}$ の切断における大小関係の定義より、$(A, B) < (A_{\mathbb{Q}}, B_{\mathbb{Q}})$ は $A \subset A_{\mathbb{Q}}$ かつ $A \neq A_{\mathbb{Q}}$ だからである。

▶ 以下では、$(A, B) < (A_q, B_q) \leqq (A_{\mathbb{Q}}, B_{\mathbb{Q}})$ のように、(A, B) と $(A_{\mathbb{Q}}, B_{\mathbb{Q}})$ の間に入る (A_q, B_q) を構成する。その (A_q, B_q) を使って、$(A, B) \in A_{\mathbb{R}}$ を導いていく。

ここで、二つの集合 A_q, B_q を

$$\begin{cases} A_q = \{x \in \mathbb{Q} \mid x \leqq q\} \\ B_q = \{x \in \mathbb{Q} \mid q < x\} \end{cases}$$

で定義すると (A_q, B_q) は $\mathbb{Q}$ の切断で $\overset{\bullet\bullet}{1}$ の場合となる。すると、$q = \max A_q$ および $q \in A_{\mathbb{Q}}$ であることから、

$$(A_q, B_q) \in A_{\mathbb{R}}$$

がいえる。

▶ なぜなら、もしも $(A_q, B_q) \notin A_{\mathbb{R}}$ とすると、$A_{\mathbb{R}}$ から $A_{\mathbb{Q}}$ を構成する方法から考えて $q = \max A_q \notin A_{\mathbb{Q}}$ となるため、$q \in A_{\mathbb{Q}}$ に矛盾するからである。

また、$q \notin A$ から $q \in B$ なので、

$$(A, B) < (A_q, B_q)$$

となり、$(A_q, B_q) \in A_{\mathbb{R}}$ であることと合わせて、

$$(A, B) \in A_{\mathbb{R}}$$

が成り立つ。これで①が証明された。

【②の証明】 $(A_{\mathbb{Q}}, B_{\mathbb{Q}}) < (A, B)$ とする。①と同様に考えて、

$$(A, B) \in B_{\mathbb{R}}$$

が成り立つ。これで②が証明された。

①と②より、

- $(A_{\mathbb{Q}}, B_{\mathbb{Q}}) \in A_{\mathbb{R}}$ ならば、$(A_{\mathbb{Q}}, B_{\mathbb{Q}}) = \max A_{\mathbb{R}}$ であり、
- $(A_{\mathbb{Q}}, B_{\mathbb{Q}}) \in B_{\mathbb{R}}$ ならば、$(A_{\mathbb{Q}}, B_{\mathbb{Q}}) = \min B_{\mathbb{R}}$ となる。

したがって、

$$(A_{\mathbb{Q}}, B_{\mathbb{Q}}) = \max A_{\mathbb{R}} \text{ または } (A_{\mathbb{Q}}, B_{\mathbb{Q}}) = \min B_{\mathbb{R}}$$

が成り立つ。

(証明終わり)

$$\odot \qquad \odot \qquad \odot$$

ミルカ「証明終わり。

- 有理数全体の集合 $\mathbb{Q}$ の切断ならば $\overset{\circ\circ}{3}$ は可能だ。しかし、
- 実数全体の集合 $\mathbb{R}$ の切断では $\overset{\circ\circ}{3}$ は不可能なのだ。

これは有理数と実数の決定的な違いとなる」

僕「うーん——この証明は追うのが大変だ」

テトラ「あ、あの……これって $\mathbb{R}$ の切断と $\mathbb{Q}$ の切断が並行して出てきますよね？ この証明に図がないのはつらいですっ！」

テトラちゃんはそういうと、証明を追いながら図を描いた。

僕「どういう図にしたの？」

テトラ「$\mathbb{R}$ の切断 $(A_{\mathbb{R}}, B_{\mathbb{R}})$ と、その切断をもとにして作った $\mathbb{Q}$ の切断 $(A_{\mathbb{Q}}, B_{\mathbb{Q}})$ を描きました。ここに書いた r というのは、$\mathbb{Q}$ の切断 $(A_{\mathbb{Q}}, B_{\mathbb{Q}})$ に付けた名前です。そしてその r は、集合 $\mathbb{R}$ の要素でもあります」

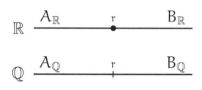

$\mathbb{R}$ の切断 $(A_{\mathbb{R}}, B_{\mathbb{R}})$ と $\mathbb{Q}$ の切断 $(A_{\mathbb{Q}}, B_{\mathbb{Q}})$

僕「$\mathbb{R}$ では r を黒丸で表して、$\mathbb{Q}$ では r を短い縦線で表しているのは、意味を区別してるんだね」

テトラ「はい、そうです」

僕「なるほど」

テトラ「①では、$(A, B) < (A_{\mathbb{Q}}, B_{\mathbb{Q}})$ のときに、間に入る $(A, B) < (A_q, B_q) \leqq (A_{\mathbb{Q}}, B_{\mathbb{Q}})$ という (A_q, B_q) を考えていますよね。$a = (A, B), q = (A_q, B_q), r = (A_{\mathbb{Q}}, B_{\mathbb{Q}})$ と名前を付けると、こんなふうに大小関係を考えたことになると思います」

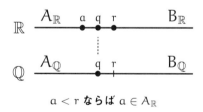

$a < r$ ならば $a \in A_{\mathbb{R}}$

ミルカ「ふむ」

テトラ「②では逆に、$b = (A, B), q = (A_q, B_q), r = (A_{\mathbb{Q}}, B_{\mathbb{Q}})$ と
　　　名前を付けて、こういう大小関係になります。この図を見な
　　　がら証明を追うと……ちょっと楽かもです！」

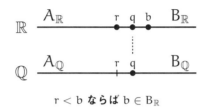

$$r < b \textbf{ ならば } b \in B_{\mathbb{R}}$$

僕「確かに！　すごいなテトラちゃん！」

テトラ「あ、で、でも、どういう大小関係で考えようとしている
　　　かを描いただけで、まだ証明のすべてを理解したわけではあ
　　　りません……」

　僕たちは納得いくまで時間を掛けて議論を重ね、証明を読んだ。

僕「すごいな……この証明」

- $\mathbb{R}$ の切断 $(A_{\mathbb{R}}, B_{\mathbb{R}})$ から $\mathbb{Q}$ の切断 $(A_{\mathbb{Q}}, B_{\mathbb{Q}})$ を作り、
- $(A_{\mathbb{Q}}, B_{\mathbb{Q}})$ と、$\mathbb{Q}$ の他の切断との大小関係を考え、
- $(A_{\mathbb{Q}}, B_{\mathbb{Q}})$ が $\max A_{\mathbb{R}}$ か $\min B_{\mathbb{R}}$ になることを示し、
- $\mathbb{R}$ の切断が $\overset{\bullet}{1}$ か $\overset{\bullet\bullet}{2}$ になることを証明しているんだね。

テトラ「$\mathbb{R}$ の切断では $\overset{\circ\circ\circ}{3}$ が起きない……驚きです」

ミルカ「実数を直線として考え、直線が持つ連続のイメージを前
　　　提としてしまうと、実数の連続性を証明しようというのは、
　　　ナンセンスに感じるはずだ。自明なことを証明しているよ
　　　うに見えるからだ。デデキントの証明は、当時——すなわち

19世紀末——における多くの数学者にもそう見えたらしい」

テトラ「ああ、やはり、すごく難しい話なのですね」

僕「直線のイメージだけで議論しようとすると、連続性について
の有理数と実数の違いを証明するのは不可能だなあ。だって
両方とも図では同じに見えるからね」

テトラ「$\mathbb{Q}$ の切断では $\overset{\circ\circ}{3}$ の場合があり得るけれど、$\mathbb{R}$ の切断で
は $\overset{\circ\circ}{3}$ の場合はあり得ない——確かに、その違いを直線のイメー
ジで表すのは無理ですね」

ミルカ「図は論理の決め手にはならない」

僕「でも、テトラちゃんの図は論理を追う助けになるよ」

ミルカ「ふむ……確かにそれはそう」

僕「有理数だけの数直線では無理数 $\sqrt{2}$ のナイフを入れると、ス
カッと空振りする。でも実数の数直線ではカチッと $\sqrt{2}$ にぶ
つかる」

テトラ「$\sqrt{2}$ だけじゃありませんよね。$\mathbb{R}$ の切断で $\overset{\circ\circ}{3}$ の場合はな
いので、実数の数直線でナイフは絶対に空振りせず、必ず実
数にぶつかります！」

ミルカ「$\mathbb{Q}$ の切断で隙間が空いているかどうかは、現実世界のこ
の目では見えない。しかし、集合と論理という数学を使えば
見えるようになる」

テトラ「確かにそうです！　同じに見えていたものでも、違って見
えてきますね。数学が差異を明らかにしてくれる？」

僕「逆の場合もあるね。違って見えていたものが、同じに見える
　　こともあるよ。数学は共通点も明らかにしてくれる！」

ミルカ「それが《見える》ということなんだろう」

テトラ「《数を作る》ということ自体がそうですね。数を作ってい
　　くうちにいろんなことが見えてきましたから！　でも、$\mathbb{R}$ の
　　切断で新しい数が作れないのは残念ですけど……」

僕「でも、テトラちゃん。切断だけが数を作る方法じゃないよね。
　　だって、複素数は実数をもとにして作れるし」

テトラ「あっ、そうでした。そうですよね！」

ミルカ「そしてまたペアだけが数を作る方法でもない。さらには
　　——数を作ることだけが数を知る方法でもない」

テトラ「ああ、あたしたちって、何て自由なんでしょう！」

科学においては、証明出来る事は
証明なしに信じられてしまってはならない。
——デデキント[*6]

[*6] 参考文献 [27] 『数とは何かそして何であるべきか』

付録：全順序の公理

全順序

集合 S の任意の要素 x と y と m に対して、次の①,②,③,④を満たす関係 $\leqq$ が成り立っているとします。

① 反射律　　$x \leqq x$

② 反対称律　$x \leqq y$ かつ $y \leqq x$ ならば $x = y$

③ 推移律　　$x \leqq m$ かつ $m \leqq y$ ならば $x \leqq y$

④ 比較律　　$x \leqq y$ または $y \leqq x$

このとき、$\leqq$ を S 上の**全順序関係**といいます。

また、S と $\leqq$ の組 $(S, \leqq)$ を、**全順序集合**といいます。

そして S を、全順序集合 $(S, \leqq)$ の**台集合**といいます。

文脈から $\leqq$ の意味が明確なら、「$(S, \leqq)$ は全順序集合である」を「S は全順序集合である」ということもあります。

表記を簡潔にするため、関係 $<$ を、

$$x < y \Longleftrightarrow x \leqq y \text{ かつ } x \neq y$$

と定義します。すると、

$$x \leqq y \Longleftrightarrow x < y \text{ または } x = y$$

が成り立ちます。

集合と「数学的構造」

「S は全順序集合である」という表現はあくまで簡易的なものであり、集合 S そのものが全順序集合という性質を持っているわけではありません。そのことに注意してください。集合 S 上に対して、①,②,③,④を満たす関係 $\leqq$ を私たちが定義して初めて、$(S, \leqq)$ という全順序集合が生まれるのです。

集合 S に対してどのような関係を私たちが定義するかは自由です。同じ集合 S に対して、$\leqq$ とは異なる全順序関係を定義する場合もあります。だからこそ、全順序集合 $(S, \leqq)$ は S と $\leqq$ の組として表されるのです。

全順序集合 $(S, \leqq)$ は、集合 S の上に全順序 $\leqq$ という「数学的構造」を与えたものといえます。

全順序集合の例

整数全体の集合 $\mathbb{Z}$ における大小関係を $\leqq$ とすると、$\leqq$ は、$\mathbb{Z}$ 上の全順序関係になることがわかります。ですから、組 $(\mathbb{Z}, \leqq)$ は全順序集合です。意味が明確なら $\leqq$ を省略して「$\mathbb{Z}$ は全順序集合である」といえます。

有理数全体の集合 $\mathbb{Q}$ と実数全体の集合 $\mathbb{R}$ についても同様に考えることができます。$(\mathbb{Q}, \leqq)$ と $(\mathbb{R}, \leqq)$ はどちらも全順序集合であることがわかりますし、意味が明確なら $\leqq$ を省略して「$\mathbb{Q}$ は全順序集合である」や「$\mathbb{R}$ は全順序集合である」といえます。

なお、厳密にいえば、三つの全順序集合 $(\mathbb{Z}, \leqq), (\mathbb{Q}, \leqq), (\mathbb{R}, \leqq)$ における $\leqq$ は、それぞれ $\leqq_{\mathbb{Z}}, \leqq_{\mathbb{Q}}, \leqq_{\mathbb{R}}$ のように区別する必要があります。

半順序

　p. 220 の①,②,③は成り立つけれど、④が成り立っているとは
限らない場合には、≦ を**半順序関係**もしくは単に**順序関係**とい
います。また $(S, ≦)$ を**半順序集合**もしくは単に**順序集合**といい
ます。

　④は、集合 S の任意の二要素を ≦ で比較できることを保証す
る条件です。全順序集合では、任意の二要素を ≦ で比較できます
が、半順序集合では、任意の二要素を ≦ で比較できるとは限りま
せん。

　全順序関係は半順序関係でもありますが、半順序関係は全順序
関係とは限りません。また、全順序集合は要素を一列に並べるこ
とができますが、半順序集合は一列に並べられるとは限りません。
以下にイメージ図を示します。

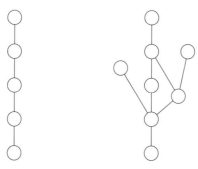

全順序集合　　　　　　　　**半順序集合**
（半順序集合でもある）　**（全順序集合ではない例）**

　全順序と半順序に関してさらに詳しくは、参考文献 [10],[11] を
参照してください。

第5章の問題

●問題 5-1（すべての切断）

トランプのカードに描かれる4種類のマーク（スート）全体の集合を

$$S = \{\clubsuit, \diamondsuit, \heartsuit, \spadesuit\}$$

として、スートの強弱関係を、

$$《x よりも y が強い》\Longleftrightarrow x < y$$

$$《x は y と同じ強さ》\Longleftrightarrow x = y$$

で表すことにします。さらに、

$$\clubsuit = \clubsuit \quad \clubsuit < \diamondsuit \quad \clubsuit < \heartsuit \quad \clubsuit < \spadesuit$$

$$\diamondsuit = \diamondsuit \quad \diamondsuit < \heartsuit \quad \diamondsuit < \spadesuit$$

$$\heartsuit = \heartsuit \quad \heartsuit < \spadesuit$$

$$\spadesuit = \spadesuit$$

のように強弱関係を定めると、$\leqq$ は全順序関係になり、S は全順序集合になります。では、S のすべての切断を求めてください。

ヒント：$x \leqq y$ は、$x < y$ または $x = y$ のことです。

（解答は p. 280）

●**問題 5-2**（切断）

㋐〜㋔のそれぞれについて、集合のペア (A, B) が集合 S の切断か否かを答えてください。要素の比較には通常の大小関係 < を用います。

㋐
$$\begin{cases} S = \{0, 1, 2, 3, \ldots\} \\ A = \{0\} \\ B = \{1, 2, 3, \ldots\} \end{cases}$$

㋑
$$\begin{cases} S = \text{整数全体の集合} \ \mathbb{Z} \\ A = \text{負の整数全体の集合} \\ B = \text{正の整数全体の集合} \end{cases}$$

㋒
$$\begin{cases} S = \text{有理数全体の集合} \ \mathbb{Q} \\ A = \{x \in \mathbb{Q} \mid x^2 < 3\} \\ \quad (x^2 < 3 \ \text{を満たす有理数} \ x \ \text{全体の集合}) \\ B = \{x \in \mathbb{Q} \mid x^2 > 3\} \\ \quad (x^2 > 3 \ \text{を満たす有理数} \ x \ \text{全体の集合}) \end{cases}$$

㋓
$$\begin{cases} S = \text{実数全体の集合} \ \mathbb{R} \\ A = \mathbb{R} \\ B = \{\} \end{cases}$$

㋔
$$\begin{cases} S = \text{実数全体の集合} \ \mathbb{R} \\ A = \{x \in \mathbb{R} \mid x \leqq \pi\} \quad (\pi \ \text{は円周率}) \\ B = \{x \in \mathbb{R} \mid x \geqq \pi\} \end{cases}$$

（解答は p. 282）

●問題 5-3（最小元）

0 より大きい実数全体の集合、すなわち正の実数全体の集合を $\mathbb{R}^+$ とします。

$$\mathbb{R}^+ = \{x \in \mathbb{R} \mid x > 0\}$$

この集合 $\mathbb{R}^+$ に最小元が存在しないことを証明してください。

ヒント：a を全順序集合 S の要素とします。S の任意の要素 x に対して、

$$a \leqq x$$

が成り立つとき、a は S の最小元であるといいます。

（解答は p.284）

●**問題5-4**（全順序関係にならない理由）

整数を3で割った剰余全体の集合 $\mathbb{Z}_3 = \{0, 1, 2\}$ に対して、次の加算表で加法＋が定義されています。

＋	0	1	2
0	0	1	2
1	1	2	0
2	2	0	1

$\mathbb{Z}_3$ **の加算表**

また、$\mathbb{Z}_3$ の任意の要素 x に対して、

$$x < x + 1$$

であると定義します。このとき、$\leqq$ は $\mathbb{Z}_3$ 上の全順序関係になりません。それはなぜですか。

ヒント：$\leqq$ が $\mathbb{Z}_3$ 上の全順序関係であるとは、集合 $\mathbb{Z}_3$ の任意の要素 x と y と m に対して、次の①,②,③,④が成り立つことです。

  ① 反射律 $x \leqq x$
  ② 反対称律 $x \leqq y$ かつ $y \leqq x$ ならば $x = y$
  ③ 推移律 $x \leqq m$ かつ $m \leqq y$ ならば $x \leqq y$
  ④ 比較律 $x \leqq y$ または $y \leqq x$

また、$x \leqq y \Longleftrightarrow x < y$ または $x = y$ です。詳しくは p. 220 を参照してください。

（解答は p. 285）

エピローグ

　ある日、あるとき。数学資料室にて。

少女「先生、これは何？」

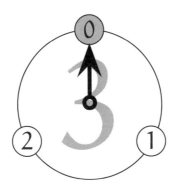

先生「何だと思う？」

少女「これに似たもの、見たことあります。時計演算ですね。3で
　　割った余りを考える時計でしょう？」

先生「そうだね。時間がいくら進んでも、針が指しているのは3
　　で割った余り——つまり剰余になる」

整数の商と剰余（3 で割った場合）

どんな整数 n に対しても、次の式を満たす二つの整数 q と r が存在する。

$$n = 3q + r \qquad \text{ただし、} 0 \leqq r < 3$$

- 整数 q を、n を 3 で割った**商**という。
- 整数 r を、n を 3 で割った**余り**という。
- 余りは**剰余**ともいう。

整数 n に対し、商 q と剰余 r の組は一通りに決まる。

少女「3 だけ進むたび、もとの位置に戻るからですよね。0 から始めて n だけ進むと、時計の針は q 回転して r を指してます！」

先生「その通り。一般には、整数の商と剰余はこう定義する」

整数の商と剰余

どんな整数 n と m（ただし m ≠ 0）に対しても、次の式を満たす二つの整数 q と r が存在する。

$$n = mq + r \qquad \text{ただし、} 0 \leqq r < |m|$$

整数 n と m に対し、商 q と剰余 r の組は一通りに決まる。

少女「3 で割るところを m で割るんですね」

先生「うん。たとえば 7 を 3 で割ると、商は 2 で剰余は 1 にな
　　る。n = 7, m = 3 のとき、q = 2, r = 1 がこの式を満たす」

$$n = m \times q + r$$
$$\vdots \quad \vdots \quad \vdots \quad \vdots$$
$$7 = 3 \times 2 + 1 \cdots\cdots\heartsuit$$

少女「はいはい」

先生「$\heartsuit$ の式を注意深く観察すると、こんなことがいえるね」

　　　3 の整数倍の違いを無視すると、7 と 1 は同じ

少女「そうっすね。この時計では、

　　　針が 3 だけ進んでも、進まないのと同じこと

　　ですから。3 の整数倍だけ進んでも、単に針がぐるぐる回る
　　だけで、結局同じところに戻ってきます。この時計の針は、7
　　進んでも 1 進んでも同じところを指します」

先生「そのことを**合同式**を使って、こう書くのは知ってる？」

$$7 \equiv 1 \pmod 3$$

（7 と 1 は 3 を法として合同である）

少女「はい。時計演算で習いました。一般的にはこうですね。
　　n = mq + r が成り立つとき、

$$n \equiv r \pmod m$$

（n と r は m を法として合同である）

　　ということになります。合同の記号（$\equiv$）は剰余を考えたと

きのイコール（=）のようなものです」

先生「ところでいまの概念を別の世界でも考えることができる」

少女「別の世界？」

先生「剰余を定義する式を、多項式の世界で考えてみるんだ」

整数環 $\mathbb{Z}$ $\longleftrightarrow$ 実数係数の多項式環 $\mathbb{R}[x]$

$$n = mq + r \quad\longleftrightarrow\quad n(x) = m(x)q(x) + r(x)$$

少女「ああ、n, m, q, r を多項式にするんですね？」

$$
\begin{array}{ccccccc}
n & = & m & q & + & r \\
\vdots & & \vdots & \vdots & & \vdots \\
n(x) & = & m(x)\,q(x) & + & r(x)
\end{array}
$$

先生「そういうこと。同じ形をした式で、多項式環 $\mathbb{R}[x]$ の商と剰余が定義できることになる」

多項式の商と剰余

どんな多項式 $n(x)$ と $m(x)$（ただし $\deg m(x) > 0$）に対しても、次の式を満たす二つの多項式 $q(x)$ と $r(x)$ が存在する[*1]。

$$n(x) = m(x)q(x) + r(x) \qquad \text{ただし } \deg r(x) < \deg m(x)$$

多項式 $n(x)$ と $m(x)$ に対し、商 $q(x)$ と剰余 $r(x)$ の組は一通りに決まる。

[*1] ここで $\deg m(x)$ は多項式 $m(x)$ の次数を表します。

少女「はいはい。確かに $n = mq + r$ という形になりますよね」

先生「整数環 $\mathbb{Z}$ も多項式環 $\mathbb{R}[x]$ もどちらも環だ。つまり、どちらにも加法＋と乗法×が定義されていて、環の公理を満たす。そのため、同じような式で商と剰余を定義できる[*2]。どちらも環なので、商と剰余という類似の概念を作れるんだね」

少女「先生！ 条件にも類似の概念が出てきてますね？」

先生「というと？」

少女「整数 m で割ったときの剰余 r には、m の絶対値 $|m|$ よりも小さいという条件があります。$0 \leqq r < |m|$ のことです。$r \geqq 0$ であることを忘れなければ、この条件は、

$$|r| < |m|$$

と絶対値の大小で表せますよね。同じように、多項式 $m(x)$ で割ったときの剰余 $r(x)$ の次数 $\deg r(x)$ は、$\deg m(x)$ よりも小さいという条件があります。この条件は、

$$\deg r(x) < \deg m(x)$$

と次数の大小で表せます。ということは、《整数の絶対値》と《多項式の次数》は類似する概念といえませんか？」

先生「すばらしい！ そういえるね。商と剰余の定義においてはどちらも《大きさ》のようなものを表現している」

少女「ですよね！ おもしろいっす！」

[*2] すべての環で商と剰余を定義できるわけではありません。環の公理に加えて条件が必要になります（ユークリッド環）。

先生「具体的な話をしよう。$x^3 + x^2 + 3x + 4$ を $x^2 + 1$ で割った
ときの商と剰余は？」

問題

次式を満たす実数係数の多項式 $q(x)$ と $r(x)$ を求めよ。ただ
し、$r(x)$ の次数は 2 未満とする。

$$x^3 + x^2 + 3x + 4 = (x^2 + 1)q(x) + r(x)$$

少女「多項式の割り算、得意ですよ。最初に、$x^3 + x^2 + 3x + 4$
と $x^2 + 1$ を筆算の形に並べます」

◎　　◎　　◎

① 最初に、$x^3 + x^2 + 3x + 4$ と $x^2 + 1$ を筆算の形に並べます。

$$x^2 \quad + 1 \overline{\smash{)}\, x^3 + x^2 + 3x + 4} \quad \cdots\cdots ①$$

② 次に、最高次の x^3 を消すために、x を立てます。

③ $x^2 + 1$ に x を掛けると $(x^2 + 1)x = x^3 + x$ ができます。

④ 引き算をすると x^3 が消えて $x^2 + 2x + 4$ が残ります。

$$
\begin{array}{r}
x \qquad\qquad\quad \cdots ② \\
x^2 \quad + 1 \overline{\smash{)}\, x^3 + x^2 + 3x + 4} \\
\underline{x^3 \qquad\quad + x} \quad \cdots ③ \\
x^2 + 2x + 4 \quad \cdots ④
\end{array}
$$

⑤ 今度は④の x^2 を消すために 1 を立てます。

⑥ すると、$(x^2 + 1) \cdot 1 = x^2 + 1$ が出てきます。

⑦ 引き算すると $(x^2 + 2x + 4) - (x^2 + 1) = 2x + 3$ になり、これは 1 次式で 2 次未満ですから計算終了！

$$
\begin{array}{r}
x + 1 \qquad\quad \cdots ⑤ \\
x^2 \quad + 1 \overline{\smash{)}\, x^3 + x^2 + 3x + 4} \\
\underline{x^3 \qquad\quad + x} \\
x^2 + 2x + 4 \\
\underline{x^2 \qquad + 1} \quad \cdots ⑥ \\
2x + 3 \quad \cdots ⑦
\end{array}
$$

◎   ◎   ◎

少女「計算終了！　これで商 $q(x) = x + 1$ と剰余 $r(x) = 2x + 3$
　　が得られました」

解答

多項式 $x^3 + x^2 + 3x + 4$ を多項式 $x^2 + 1$ で割ったとき、商
は $q(x) = x + 1$ で剰余は $r(x) = 2x + 3$ である。

先生「うん、正解だね。こんな対応が付いたことになる」

$$
\begin{array}{ccccccc}
n(x) & = & m(x) & q(x) & + & r(x) \\
\vdots & & \vdots & \vdots & & \vdots \\
x^3 + x^2 + 3x + 4 & = & (x^2 + 1) & (x + 1) & + & 2x + 3 & \cdots\cdots\spadesuit
\end{array}
$$

少女「はい、簡単な計算でした」

先生「ここで ♠ をよく見て、整数における合同の概念を多項式で
　　考えてみよう」

少女「そういう話ですか。n, m, q, r を $n(x), m(x), q(x), r(x)$ に
　　読み替えてやればいいんですね？」

$$
\begin{array}{ccc}
n & \equiv & r \qquad (\bmod\ m) \\
\vdots & & \vdots \qquad\quad \vdots \\
n(x) & \equiv & r(x) \qquad (\bmod\ m(x)) \\
\vdots & & \vdots \qquad\quad \vdots \\
x^3 + x^2 + 3x + 4 & \equiv & 2x + 3 \quad (\bmod\ x^2 + 1)
\end{array}
$$

先生「その通り。話が早いな！」

少女「ふふっ。ということは、多項式 $x^3 + x^2 + 3x + 4$ と多項式 $2x + 3$ は、多項式 $x^2 + 1$ を法として合同であると表現できることになります」

$$x^3 + x^2 + 3x + 4 \equiv 2x + 3 \quad (\bmod\ x^2 + 1)$$

先生「そうだね。そして、3 を法とした剰余によって

$$剰余環\ \mathbb{Z}/3\mathbb{Z}$$

が作れたのと同じように、$x^2 + 1$ を法とした剰余によって

$$剰余環\ \mathbb{R}[x]/(x^2 + 1)$$

が作れるんだ[*3]！」

少女「んんんんっ？ 先生、ちょっと待ってくださいね。少し考えさせてください……はい、その剰余環 $\mathbb{R}[x]/(x^2 + 1)$ では、加法 $+$ と乗法 $\times$ は普通の多項式の計算のように行うけど、計算した後、いつも $x^2 + 1$ で割った剰余に直して考える……というものでしょうか」

先生「うん、そう考えてもいいし、多項式 $x^2 + 1$ を法としたときの合同（$\equiv$）をイコール（$=$）と見なしてもいい」

少女「整数環 $\mathbb{Z}$ と多項式環 $\mathbb{R}[x]$ の関係と同じような関係が、剰余環 $\mathbb{Z}/3\mathbb{Z}$ と剰余環 $\mathbb{R}[x]/(x^2 + 1)$ にもあるんですか……抽象的ですけど、おもしろそうです」

[*3] 剰余環 $\mathbb{Z}/3\mathbb{Z}$ は、本書の第 3 章に出てきた剰余環 $\mathbb{Z}_3$ と同じです。

先生「いま抽象的と言ったけど、この剰余環 $\mathbb{R}[x]/(x^2+1)$ は、僕たちがよく知っているものと同じ形をしているんだよ」

少女「よく知っているもの？」

先生「剰余環 $\mathbb{R}[x]/(x^2+1)$ は体になって、**複素数体** $\mathbb{C}$ と同型になるんだ」

少女「はい？ どういうことっすか？ 多項式が複素数になる？」

先生「僕たちは整数の世界で 3 を法とする合同を考えるときに、

$$3 \text{ の整数倍を無視する}$$

という発想に立った。3 はゼロじゃないけれど、あたかもゼロのように扱うともいえる」

少女「はい、それはわかります。

$$3 \text{ の整数倍の違いを無視すると、} 7 \text{ と } 1 \text{ は同じ}$$

ですね。剰余を考えるってそういうことです。

$$\text{針が } 3 \text{ だけ進んでも、進まないのと同じこと}$$

ですから」

先生「多項式の世界で x^2+1 を法とする合同を考えるときも、

$$x^2+1 \text{ の多項式倍を無視する}$$

という発想に立とう。$x^2 + 1$ はゼロじゃないけれど、あたか
もゼロのように扱ってみよう」

少女「……」

先生「僕たちは、

$$x^2 + 1 = 0$$

という方程式の解を知っている。虚数単位 i と $-i$ だ」

少女「……先生？」

先生「虚数単位 i は $i^2 = -1$ を満たすから、$x = i$ のとき、

$$x^2 + 1 = 0$$

が成り立つよね？」

少女「先生、先生……それはわかります。でもそれで、多項式が
　　　複素数になるんですか？」

先生「虚数単位 i があれば複素数が作れるわけだ」

少女「おお？」

先生「多項式を $x^2 + 1$ で割った剰余 $r(x)$ は $bx + a$ という形に
　　　書ける。これを、

$$r(x) = a + bx$$

と書くことにしよう。a, b は実数だよ。そうすると、どんな
多項式 $n(x)$ も、

$$n(x) = (x^2 + 1)q(x) + \underbrace{a + bx}_{剰余}$$

と表せる」

少女「はい、それはそうですね」

先生「ここで、$x^2 + 1 = 0$ が成り立つと考えてみよう。すると、

$$n(x) = \underbrace{(x^2 + 1)}_{=0} q(x) + a + bx$$

になる。そしてこのときの剰余 $a + bx$ を複素数 $a + bi$ と同一視しようというんだ」

少女「同一視？」

先生「具体的にいえば $x^2 + 1 = 0$ という条件を与えたとき、

- 多項式 $a + bx$ の加減乗除
- 複素数 $a + bi$ の加減乗除

この二つが対応する」

少女「多項式と複素数が対応？」

先生「剰余環 $\mathbb{R}[x]/(x^2 + 1)$ における加法と乗法が、複素数体 $\mathbb{C}$ における加法と乗法にぴったり対応するということ！」

少女「ああ、何だか分かってきましたよ、先生！」

先生「実数係数の多項式を $x^2 + 1$ で割った剰余を考える途中で、どこにも虚数や複素数は出てこない。それにも関わらず、$x^2 + 1 = 0$ という条件を付けて $a + bx$ という多項式を考えるなら、複素数の加法と乗法とまったく同じ加法と乗法を持つ《数学的対象》が生まれたことになる。言い換えるなら、僕たちは多項式を使って複素数という数を作ったんだよ！」

少女「多項式で複素数を作る！　これは……すごいっすね！」

先生「すごいよね！　もちろん、多項式環 $\mathbb{R}[x]$ を x^2+1 で割った剰余環 $\mathbb{R}[x]/(x^2+1)$ が確かに環になることや、体になることや、複素数体 $\mathbb{C}$ と同型になることはきちんと証明する必要がある」

少女「あ、でも先生、x^2+1 で割った剰余で、本当に複素数の計算ができるんですか？　たとえば、x^2 は -1 になります？」

先生「なるよ。x^2 を x^2+1 で割った剰余はちゃんと -1 になる」

$$
\begin{array}{ccccccc}
n & = & m & \times & q & + & r \\
\vdots & & \vdots & & \vdots & & \vdots \\
x^2 & = & (x^2+1) & \times & (1) & + & (-1)
\end{array}
$$

少女「ほんとですね！」

先生「x^3+x^2+3x+4 を x^2+1 で割ったときの剰余を求める問題も、x^3+x^2+3x+4 に $x^2=-1$ という条件を与えるだけで得られる」

$$
\begin{aligned}
x^3+x^2+3x+4 &= (x^2)\cdot x + x^2+3x+4 &&\text{x^2 のまとまりを作る}\\
&= (-1)\cdot x + (-1)+3x+4 &&\text{$x^2=-1$ とした}\\
&= -x-1+3x+4 \\
&= 2x+3 &&\text{剰余が得られた}
\end{aligned}
$$

少女「計算ではゼロで割らないように注意するのに、x^2+1 をゼロと見なすと話が広がるのは、おもしろいっすね！」

　少女はそう言って、くふふふっと笑った。

【解答】
A N S W E R S

第1章の解答

●**問題 1-1**（共通部分と和集合）

①〜④を求めてください。

① $\{1,3,5\}$ と $\{1,2,3\}$ の共通部分 $\{1,3,5\} \cap \{1,2,3\}$
② $\{1,3,5\}$ と $\{1,2,3\}$ の和集合 $\{1,3,5\} \cup \{1,2,3\}$
③ $\{1,2,3\}$ と $\{4,5,6\}$ の共通部分 $\{1,2,3\} \cap \{4,5,6\}$
④ $\{1,2,3\}$ と $\{4,5,6\}$ の和集合 $\{1,2,3\} \cup \{4,5,6\}$

■**解答 1-1**

① 二つの集合の共通部分とは、両方の集合に属している要素全体の集合です。集合 $\{1,3,5\}$ と $\{1,2,3\}$ の両方に属している要素は 1 と 3 ですから、$\{1,3,5\}$ と $\{1,2,3\}$ の共通部分は $\{1,3\}$ です。

$$\{1,3,5\} \cap \{1,2,3\} = \{1,3\}$$

答 $\{1,3\}$

② 二つの集合の和集合とは、少なくとも片方の集合に属している要素全体の集合です。集合 $\{1,3,5\}$ と $\{1,2,3\}$ のうち、少なくとも片方に属している要素は $1,2,3,5$ ですから、$\{1,3,5\}$ と $\{1,2,3\}$

の和集合は $\{1, 2, 3, 5\}$ です。

$$\{1, 3, 5\} \cup \{1, 2, 3\} = \{1, 2, 3, 5\}$$

答　$\{1, 2, 3, 5\}$

③　二つの集合の共通部分とは、両方の集合に属している要素全体の集合です。集合 $\{1, 2, 3\}$ と $\{4, 5, 6\}$ の両方に属している要素はありませんので、この二つの集合の共通部分は要素を持たない集合、すなわち空集合 $\{\}$ です。

$$\{1, 2, 3\} \cap \{4, 5, 6\} = \{\}$$

答　$\{\}$

④　二つの集合の和集合とは、少なくとも片方の集合に属している要素全体の集合です。集合 $\{1, 2, 3\}$ と $\{4, 5, 6\}$ のうち、少なくとも片方に属している要素は $1, 2, 3, 4, 5, 6$ ですから、$\{1, 2, 3\}$ と $\{4, 5, 6\}$ の和集合は $\{1, 2, 3, 4, 5, 6\}$ です。

$$\{1, 2, 3\} \cup \{4, 5, 6\} = \{1, 2, 3, 4, 5, 6\}$$

答　$\{1, 2, 3, 4, 5, 6\}$

補足（少なくとも片方）

　「少なくとも片方の集合に属している要素」というときには、「両方の集合に属している要素」も含むことに注意してください。たとえば②で、1 と 3 は $\{1, 3, 5\}$ と $\{1, 2, 3\}$ の両方に属して、2 と

5 は片方のみに属していますが、和集合には 1,3 と 2,5 のどちら
の要素も入ります。

$$\{1,3,5\} \cup \{1,2,3\} = \{1,2,3,5\}$$

補足 （要素の順序）

解答 1-1 では、確認しやすくするために要素を小さい順序で並
べていますが、必ずしもそうする必要はありません。たとえば②
の解答は、$\{1,2,3,5\}$ と $\{1,3,5,2\}$ のどちらでも正解です。要素が
合っていればもちろん他の順序でも正解です。

●問題 1-2 （4 を作ろう）

ノイマンの方法で 4 を作り、数字を使わず波カッコだけで表
してください。

$$0 = \{\}$$
$$1 = \{\{\}\}$$
$$2 = \{\{\}, \{\{\}\}\}$$
$$3 = \{\{\}, \{\{\}\}, \{\{\}, \{\{\}\}\}\}$$
$$4 = ?$$

■**解答 1-2**

ノイマンの方法では、

$$4 = \{0, 1, 2, 3\}$$

ですので、この $0, 1, 2, 3$ を波カッコを使って表します。

$$4 = \{0, 1, 2, 3\}$$
$$= \{\{\,\}, 1, 2, 3\}$$
$$= \{\{\,\}, \{\{\,\}\}, 2, 3\}$$
$$= \{\{\,\}, \{\{\,\}\}, \{\{\,\}, \{\{\,\}\}\}, 3\}$$
$$= \{\{\,\}, \{\{\,\}\}, \{\{\,\}, \{\{\,\}\}\}, \{\{\,\}, \{\{\,\}\}, \{\{\,\}, \{\{\,\}\}\}\}\}$$

答　$\{\{\,\}, \{\{\,\}\}, \{\{\,\}, \{\{\,\}\}\}, \{\{\,\}, \{\{\,\}\}, \{\{\,\}, \{\{\,\}\}\}\}\}$

解答 1-2 の別解

4 は 3 の後続数ですから、

$$4 = 3' = 3 \cup \{3\}$$

と考えて求めることもできます。

$$4 = 3 \cup \{3\}$$
$$= \{0, 1, 2\} \cup \{3\}$$
$$= \{\{\,\}, \{\{\,\}\}, \{\{\,\}, \{\{\,\}\}\}\} \cup \{\{\{\,\}, \{\{\,\}\}, \{\{\,\}, \{\{\,\}\}\}\}\}$$
$$= \{\{\,\}, \{\{\,\}\}, \{\{\,\}, \{\{\,\}\}\}, \{\{\,\}, \{\{\,\}\}, \{\{\,\}, \{\{\,\}\}\}\}\}$$

答　$\{\{\,\}, \{\{\,\}\}, \{\{\,\}, \{\{\,\}\}\}, \{\{\,\}, \{\{\,\}\}, \{\{\,\}, \{\{\,\}\}\}\}\}$

●**問題 1-3**（ツェルメロの方法で 4 を作ろう）

数学者ツェルメロは次のように 0, 1, 2, 3, ... を作りました。

$$0 = \{\}$$
$$1 = \{0\}$$
$$2 = \{1\}$$
$$3 = \{2\}$$
$$\vdots$$

すなわち、ツェルメロの方法では n の後続数 n' を、

$$n' = \{n\}$$

として定義します。ツェルメロの方法で 4 を作り、数字を使わず波カッコだけで表してください。

■**解答 1-3**

ツェルメロの方法で 0, 1, 2, 3, 4, ... は次のようになります。

$$0 = \{\}$$
$$1 = \{0\} = \{\{\}\}$$
$$2 = \{1\} = \{\{\{\}\}\}$$
$$3 = \{2\} = \{\{\{\{\}\}\}\}$$
$$4 = \{3\} = \{\{\{\{\{\}\}\}\}\}$$

答　$\{\{\{\{\{\}\}\}\}\}$

解答 1-3 の補足

波カッコの大きさを変えて対応をわかりやすくすると、

$$4 = \left\{ \left\{ \left\{ \{\} \right\} \right\} \right\}$$

になります。

●**問題 1-4**（0 を集めて数を作る）

ある人が、集合を使って次のように数を作ろうと考えました。

$$0 = \{\}$$
$$1 = \{0\}$$
$$2 = \{0, 0\}$$
$$3 = \{0, 0, 0\}$$
$$4 = \{0, 0, 0, 0\}$$
$$\vdots$$

つまり、要素 0 の個数を使って数を作ろうとしたのです。しかし、この方法では無数の数を作ることはできません。どうしてですか。

■**解答 1-4**

この方法では、

$$\{0\} = \{0, 0\} = \{0, 0, 0\} = \{0, 0, 0, 0\} = \cdots$$

すなわち、

$$1 = 2 = 3 = 4 = \cdots$$

となり、実質的に 0 と 1 という二つの数しか作れないからです。

解答 1-4 の補足

　波カッコ { } の中に要素を書き並べて集合を表す場合には、同じ要素を何個書いても、表している集合としては何の違いもありません。たとえば、集合 {0} に属している要素はすべて集合 {0, 0} にも属しており、逆に集合 {0, 0} に属している要素はすべて集合 {0} にも属しているので、二つの集合 {0} と {0, 0} は等しくなります。すなわち、

$$\{0\} = \{0, 0\}$$

です。同様に、

$$\{0\} = \{0, 0\} = \{0, 0, 0\} = \{0, 0, 0, 0\} = \cdots$$

がいえます。詳しくは p. 13 も参照してください。

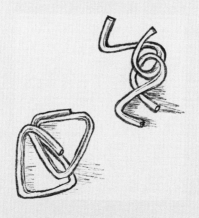

●**問題 1-5**（足し算ルール）

第1章本文では足し算ルールとして、どんなノイマンの数 m, n に対しても、

足し算ルール Ⓐ　$n + 0 = n$

足し算ルール Ⓑ　$m + n' = m' + n$

が成り立つと定めていました（p. 38 と p. 39）。このうちⒷ の代わりに次の足し算ルール Ⓒを使うこともできます。

> **足し算ルール** Ⓒ
> どんなノイマンの数 m, n に対しても、次の式が成り立つことにします。
> $$m + n' = (m + n)'$$

足し算ルール Ⓐと Ⓒを使い、ノイマンの数で、

$$3 + 2 = 5$$

が成り立つことを確かめましょう。

■**解答 1-5**

次の通りです。

$$3 + 2 = 3 + 1' \qquad \text{2 は 1' に付けた名前}$$
$$= (3 + 1)' \qquad \text{足し算ルール ⓒ で、} m = 3, n = 1 \text{ とした}$$
$$= (3 + 0')' \qquad \text{1 は 0' に付けた名前}$$
$$= ((3 + 0)')' \qquad \text{足し算ルール ⓒ で、} m = 3, n = 0 \text{ とした}$$
$$= ((3)')' \qquad \text{足し算ルール Ⓐ で、} n = 3 \text{ とした}$$
$$= (3')' \qquad \text{カッコを外した}$$
$$= (4)' \qquad \text{4 は 3' に付けた名前}$$
$$= 4' \qquad \text{カッコを外した}$$
$$= 5 \qquad \text{5 は 4' に付けた名前}$$

足し算ルールについては、参考文献 [3]『数学ガール／ゲーデルの不完全性定理』も参照してください。

●問題 1-6（大小関係）
ノイマンの方法で作った二つの数 m と n の大小関係

$$m < n$$

を定義してください。

ヒント：ノイマンの数 m と n は集合を使って作りました。ですから、私たちが考える大小関係が成り立つように、集合を使って定義します。

■解答1-6

m と n の大小関係は、

$$m < n \iff m \in n$$

として定義できます。すなわち、集合 m が集合 n の要素であることは、私たちが考える大小関係 $m < n$ となっています。

解答 1-6 の補足

ノイマンの方法では、空集合を数 0 とし、これまでに作った数のすべてを要素に持つ集合を次の数とします。したがって、ノイマンの数 n を集合として見たとき、

$n = 《n$ よりも小さいノイマンの数すべての集合》

になります。ですから、$m < n$ とは、m が n の要素になっていることに他なりません。

具体例を挙げます。ノイマンの数 $0, 1, 2, 3, \ldots$ を波カッコを使って表記すると、

$$0 = \{\}$$
$$1 = \{0\}$$
$$2 = \{0, 1\}$$
$$3 = \{0, 1, 2\}$$
$$\vdots$$

です。確かに 3 は《3 よりも小さいノイマンの数すべての集合》となっています。そして、3 より小さいノイマンの数は 0, 1, 2 のいずれかであり、確かに、

$$0 \in 3$$

$$1 \in 3$$

$$2 \in 3$$

となっています。また、3 以上のノイマンの数は $3, 4, 5, \ldots$ であり、確かに、

$$3 \notin 3$$

$$4 \notin 3$$

$$5 \notin 3$$

$$\vdots$$

となります。

解答 1-6 の別解

m と n の大小関係は、

$$m < n \iff m \subset n \text{ かつ } m \neq n$$

としても定義できます。すなわち、集合 m が集合 n の部分集合であり、さらに m と n が等しくないとき、私たちが考える大小関係 $m < n$ となります。

ここで m が n の部分集合である（$m \subset n$ である）とは、集合 m の要素がいずれも集合 n の要素になっていることです。

たとえば、$\{0, 1, 2\}$ は $\{0, 1, 2, 3, 4\}$ の部分集合で、

$$\{0, 1, 2\} \subset \{0, 1, 2, 3, 4\}$$

です。ところでノイマンの方法では $3 = \{0, 1, 2\}$ であり、$5 = \{0, 1, 2, 3, 4\}$ ですから、ノイマンの数を集合として見たとき、

$$\{0,1,2\} \subset \{0,1,2,3,4\} \text{ かつ } \{0,1,2\} \neq \{0,1,2,3,4\}$$

つまり、

$$3 \subset 5 \text{ かつ } 3 \neq 5$$

といえ、確かに $3 < 5$ という大小関係と一致しています。

補足 （部分集合）

部分集合
集合 A に属している要素がいずれも集合 B に属していると
します。このとき「A は B の部分集合である」といい、

$$A \subset B$$

と表します。

この定義では「A ⊂ B」という表記は A = B の場合も含んで
います。すなわち、次の二つはどちらも成り立ちます。

$$\{0,1,2\} \subset \{0,1,2,3\} \qquad \text{等しくない場合}$$
$$\{0,1,2\} \subset \{0,1,2\} \qquad \text{等しい場合}$$

このことをはっきり表すため、A が B の部分集合であることを
「A ⊆ B」あるいは「A ⊊ B」と表記するときもあります[1]。

---

[1] 「A ⊂ B」という表記が A = B の場合を含まないことを意味する数学書
　　もあります。これは流儀の問題であり、はっきり定義していればどちらで
　　も問題はありません（p. 202 参照）。

第2章の解答

●**問題 2-1** (ペアで作る整数)

第2章本文ではノイマンの数 (非負整数) のペア (m, n) で整数を作りました。たとえば、$(3, 0)$ や $(4, 1)$ は整数 3 を表し、$(0, 1)$ や $(2, 3)$ は整数 -1 を表します。

①〜⑥のペアはどんな整数を表しますか。ただし m, n は非負整数とします。

① $(10, 3)$
② $(3, 10)$
③ $(123, 123)$
④ (m, m)
⑤ $(m + n, n)$
⑥ $(m, m + n)$

■解答 2-1

非負整数のペア (m, n) は、**整数 m − 整数 n** に相当する整数を表します。

① $(10, 3)$ は、整数 7 を表します。
② $(3, 10)$ は、整数 -7 を表します。
③ $(123, 123)$ は、整数 0 を表します。
④ (m, m) は、整数 0 を表します。

⑤ $(m+n, n)$ は、整数 m を表します。

⑥ $(m, m+n)$ は、整数 $-n$ を表します。

●**問題 2-2**（大小関係）

第2章本文ではノイマンの数（非負整数）のペア (m, n) で整数を作りました。この整数に対して大小関係を定義しましょう。すなわち、m, n, x, y が非負整数のとき、

$$(m, n) < (x, y)$$

を定義してください。ただし、次のことを前提とします。

- 非負整数同士の足し算は定義されています。
- 非負整数同士の大小関係は定義されています（p. 250 の章末問題 1-6 を参照）。
- 非負整数同士の引き算は定義されていません。

■**解答 2-2**

(m, n) と (x, y) の大小関係は、

$$(m, n) < (x, y) \Longleftrightarrow m + y < x + n$$

として定義できます。

解答 2-2 の補足

$m - n < x - y$ を使って整数の大小関係を定義することはできません。なぜなら、非負整数同士の引き算は定義されていないのを前提としているからです。

第3章の解答

●**問題 3-1**（剰余環 $\mathbb{Z}_2$）

整数を 2 で割った剰余を使って、

$$\text{剰余環 } \mathbb{Z}_2$$

の加算表と乗算表を作ってください。

ヒント： 剰余環 $\mathbb{Z}_3$ の加算表と乗算表は次の通りです。

+	0	1	2
0	0	1	2
1	1	2	0
2	2	0	1

×	0	1	2
0	0	0	0
1	0	1	2
2	0	2	1

$\mathbb{Z}_3$ **の加算表**　　$\mathbb{Z}_3$ **の乗算表**

■解答 3-1

剰余環 $\mathbb{Z}_2$ の加算表と乗算表は次の通りです。

+	0	1
0	0	1
1	1	0

×	0	1
0	0	0
1	0	1

$\mathbb{Z}_2$ の加算表　　　$\mathbb{Z}_2$ の乗算表

通常の整数では $1 + 1 = 2$ になりますが、剰余環 $\mathbb{Z}_2$ では 2 で割った剰余を考えるので $1 + 1 = 0$ になる点に注意してください。

解答 3-1 の補足

剰余環 $\mathbb{Z}_2$ の演算は、コンピュータのプログラムが用いるビット演算と見なすことができます。

剰余環 $\mathbb{Z}_2$ の加法 $x + y$ と、ビット単位の排他的論理和 $x \oplus y$ は、どちらも $x \neq y$ のときのみ 1 になります。

x	y	$x + y$	$x \oplus y$
0	0	0	0
0	1	1	1
1	0	1	1
1	1	0	0

剰余環 $\mathbb{Z}_2$ の加法 + と、ビット単位の排他的論理和 $\oplus$

剰余環 $\mathbb{Z}_2$ の乗法 $x \times y$ と、ビット単位の論理積 $x \,\&\, y$ は、どちらも $x = y = 1$ のときのみ 1 になります。

x	y	x × y	x & y
0	0	0	0
0	1	0	0
1	0	0	0
1	1	1	1

剰余環 $\mathbb{Z}_2$ の乗法 × と、ビット単位の論理積 &

詳しくは参考文献 [10]『数学ガールの秘密ノート／ビットとバイナリー』も参照してください。

●**問題 3-2**（演算表の改変）

ある人が、3 個の異なる要素を持つ集合 $X_3 = \{0, 1, 2\}$ を使って環を作ろうと思いました。X_3 の加算表と乗算表は、剰余環 $\mathbb{Z}_3$ のものとほとんど同じですが一箇所だけ $2 + 2 = 0$ と改変してあります。

+	0	1	2
0	0	1	2
1	1	2	0
2	2	0	0

×	0	1	2
0	0	0	0
1	0	1	2
2	0	2	1

X_3 の加算表　　　X_3 の乗算表

しかし、X_3 は環ではありません。それはなぜですか。

■解答 3-2

X_3 の加法は結合法則を満たさないからです。たとえば、加算表を用いて $(1+1)+2$ と $1+(1+2)$ の値をそれぞれ計算すると、

$$(1+1)+2 = 2+2 = 0$$

および、

$$1+(1+2) = 1+0 = 1$$

です。したがって、

$$(1+1)+2 \neq 1+(1+2)$$

となり、X_3 の加法は結合法則を満たしません。したがって、X_3 は環ではありません。

解答 3-2 の補足

環の公理のいずれかを満たさないことを示せば、上記以外の方法でもかまいません。

●**問題 3-3**（整数の商と剰余）

どんな整数 n に対しても、次の式を満たす二つの整数 q と r が存在します。

$$n = 3q + r \qquad ただし、0 \leqq r < 3$$

では、この商 q と剰余 r の組が、n ごとに唯一に定まることを証明してください。

■解答 3-3

証明

　文字はすべて整数とします。n に対して、

$$n = 3q_1 + r_1 \qquad 0 \leqq r_1 < 3$$
$$n = 3q_2 + r_2 \qquad 0 \leqq r_2 < 3$$

が成り立つとき、左辺同士、右辺同士を引くと、

$$n - n = (3q_1 + r_1) - (3q_2 + r_2)$$

になります。この式を整理すると、

$$3(q_1 - q_2) = r_2 - r_1 \qquad \cdots\cdots\heartsuit$$

になるので、$r_2 - r_1$ は 3 の倍数です。ところで、$0 \leqq r_1 < 3$ および $0 \leqq r_2 < 3$ から、

$$-3 < r_2 - r_1 < 3$$

ですが、-3 より大きく 3 より小さい 3 の倍数は 0 だけです。したがって、$r_2 - r_1 = 0$ であり、$\heartsuit$ から $3(q_1 - q_2) = r_2 - r_1 = 0$ です。よって、

$$q_1 = q_2, \quad r_1 = r_2$$

が得られ、n を 3 で割った商と剰余の組は、n に対して唯一であることが示されました。

(証明終わり)

●**問題 3-4**（多項式環の乗算）

第3章本文（p. 118）では、

$$a_n x^n + \cdots + a_2 x^2 + a_1 x + a_0$$

という実数係数の多項式を、

$$(a_0, a_1, a_2, \cdots, a_n, 0, 0, 0, \ldots)$$

という係数列で表しました。ここで多項式環 $\mathbb{R}[x]$ の加法は、

$$(a_0, a_1, a_2, \ldots) + (b_0, b_1, b_2, \ldots) = (c_0, c_1, c_2, \ldots)$$

としたとき、

$$c_n = a_n + b_n \qquad (n = 0, 1, 2, \ldots)$$

で定義できます。では、多項式環 $\mathbb{R}[x]$ の乗法は、

$$(a_0, a_1, a_2, \ldots) \times (b_0, b_1, b_2, \ldots) = (d_0, d_1, d_2, \ldots)$$

としたとき、どう定義できますか。d_n を $a_0, a_1, a_2, \ldots$ および $b_0, b_1, b_2, \ldots$ を使って表してください。

■解答 3-4

多項式環 $\mathbb{R}[x]$ の乗法を

$$(a_0, a_1, a_2, \ldots) \times (b_0, b_1, b_2, \ldots) = (d_0, d_1, d_2, \ldots)$$

としたとき、

$$d_n = a_0 b_n + a_1 b_{n-1} + \cdots + a_{n-1} b_1 + a_n b_0$$

です $(n = 0, 1, 2, \ldots)$。$\sum$ を使って、

$$d_n = \sum_{k=0}^{n} a_k b_{n-k}$$

と表してもかまいません。

解答 3-4 の補足

具体的に理解するため、二つの多項式の積、

$$(a_0 + a_1 x + a_2 x^2)(b_0 + b_1 x)$$

を使って説明しましょう。ここで、$a_3 = a_4 = \cdots = 0$ および $b_2 = b_3 = \cdots = 0$ とします。

積を実際に計算すると次の通りです。

$$
\begin{aligned}
&(a_0 + a_1 x + a_2 x^2)(b_0 + b_1 x) \\
&= a_0(b_0 + b_1 x) + a_1 x(b_0 + b_1 x) + a_2 x^2(b_0 + b_1 x) \\
&= a_0 b_0 + a_0 b_1 x \\
&\qquad + a_1 b_0 x + a_1 b_1 x^2 \\
&\qquad\qquad + a_2 b_0 x^2 + a_2 b_1 x^3 \\
&= \underbrace{a_0 b_0}_{=d_0} + \underbrace{(a_0 b_1 + a_1 b_0)}_{=d_1} x + \underbrace{(a_1 b_1 + a_2 b_0)}_{=d_2} x^2 + \underbrace{a_2 b_1}_{=d_3} x^3
\end{aligned}
$$

係数に注目すると、

$$d_0 = a_0 b_0 \qquad 定数項$$
$$d_1 = a_0 b_1 + a_1 b_0 \quad x の係数$$
$$d_2 = a_1 b_1 + a_2 b_0 \quad x^2 の係数$$
$$d_3 = a_2 b_1 \qquad x^3 の係数$$

です。ここで、$a_3 = 0$ および $b_2 = b_3 = 0$ を使うと、

$$d_0 \qquad\qquad\qquad = a_0 b_0$$
$$d_1 \qquad\qquad\qquad = a_0 b_1 + a_1 b_0$$
$$d_2 = a_1 b_1 + a_2 b_0 = a_0 b_2 + a_1 b_1 + a_2 b_0$$
$$d_3 = a_2 b_1 \qquad\quad = a_0 b_3 + a_1 b_2 + a_2 b_1 + a_3 b_0$$

と表せることがわかります（$a_0 b_2$, $a_0 b_3$, $a_1 b_2$, $a_3 b_0$ はすべて 0）。

たとえば d_3 の場合、$a_0 b_3 + a_1 b_2 + a_2 b_1 + a_3 b_0$ は次のように作ります。

$$a_0 + a_1 x + a_2 x^2 + a_3 x^3 + \cdots \quad \longleftarrow\!\!\dashrightarrow \quad (a_0, a_1, a_2, a_3, \ldots)$$

$$b_0 + b_1 x + b_2 x^2 + b_3 x^3 + \cdots \quad \longleftarrow\!\!\dashrightarrow \quad (b_0, b_1, b_2, b_3, \ldots)$$

このことから、x^n の係数 d_n は、

$$d_n = a_0 b_n + a_1 b_{n-1} + \cdots + a_{n-1} b_1 + a_n b_0$$

$$= \sum_{k=0}^{n} a_k b_{n-k}$$

と表せることがわかります。

さらに、a_j と b_k のように添字を j と k で表したとき、d_n は、

$$j + k = n となる a_j b_k すべての和$$

と考えることもできます。これは、

$$d_n = \sum_{j+k=n} a_j b_k$$

と表現できます。

第4章の解答

●**問題 4-1**（0 で割る）

第4章本文では、整数のペア (a, b) を使って有理数を作りました（p. 145）。ところでこのとき、$b \neq 0$ すなわち

《右成分は 0 ではない》

という条件が付きます。ここで、ある人が次のように主張しました。

> 整数のペア $(a_1, b_1), (a_2, b_2)$ が等しいことは、
>
> $$(a_1, b_1) = (a_2, b_2) \iff a_1 \times b_2 = a_2 \times b_1$$
>
> と乗算で定義したので、0 で割ってしまう心配はない。だから《右成分は 0 ではない》という条件は不要だ。

しかし《右成分は 0 ではない》という条件を付けないと、私たちの知っている有理数を作ることはできません。どうしてですか。

■解答 4-1

《右成分は 0 ではない》という条件を付けないと仮定します。すると、

$$(a_1, b_1) = (a_2, b_2) \Longleftrightarrow a_1 \times b_2 = a_2 \times b_1$$

において $a_2 = 0, b_2 = 0$ とすれば、

$$(a_1, b_1) = (0, 0) \Longleftrightarrow a_1 \times 0 = 0 \times b_1$$

になります。ところで、任意の整数 a_1, b_1 に対して

$$a_1 \times 0 = 0 \times b_1$$

が成り立ちますから、任意の整数 a_1, b_1 に対して

$$(a_1, b_1) = (0, 0)$$

が成り立つことになります。したがって、有理数を表す整数のペアがすべて $(0, 0)$ に等しくなってしまうことになり、私たちの知っている有理数にはなりません。

解答 4-1 の補足

任意の整数 a_1, b_1 に対して $(a_1, b_1) = (0, 0)$ が成り立つと、たとえば、

$$(1, 2) = (0, 0) \qquad a_1 = 1, b_1 = 2 \text{ とした}$$
$$(1, 3) = (0, 0) \qquad a_1 = 1, b_1 = 3 \text{ とした}$$

から、

$$(1, 2) = (1, 3)$$

がいえます。ところが、整数のペア $(1, 2)$ で有理数 $\frac{1}{2}$ を表し、整

数のペア $(1, 3)$ で有理数 $\frac{1}{3}$ を表したいのですから、

$$\frac{1}{2} = \frac{1}{3}$$

ということになり、私たちの知っている有理数を表していないことになります。

●**問題 4-2**（大小関係）

第 4 章本文では、整数のペア (a, b) を使って有理数を作りました（ただし $b \neq 0$）。この有理数で大小関係を定義しましょう。すなわち、a_1, b_1, a_2, b_2 が整数で $b_1 \neq 0, b_2 \neq 0$ のとき、

$$(a_1, b_1) < (a_2, b_2)$$

を定義してください。ただし、整数同士の大小関係は定義されているものとします。なお、整数同士の大小関係は、章末問題 2-2（p.255）を参照してください。

ヒント：$(a_1, b_1) < (a_2, b_2) \Leftrightarrow a_1 b_2 < a_2 b_1$ は誤りです。

■**解答 4-2**

有理数を表す整数のペアの大小関係を、

$$(a_1, b_1) < (a_2, b_2) \Longleftrightarrow a_1 b_1 b_2^2 < a_2 b_1^2 b_2$$

で定義します。

解答 4-2 の補足

　$a_1 b_1 b_2^2 < a_2 b_1^2 b_2$ がどこから来たかを解説します。ふだん使っている分数で大小関係を表し、それを分子と分母の積のみで表すことを考えましょう。a_1, a_2, b_1, b_2 が整数（ただし $b_1 \neq 0, b_2 \neq 0$）で、

$$\frac{a_1}{b_1} < \frac{a_2}{b_2}$$

が成り立っているとします。

　ここで、両辺に等しい数を掛けて分母を払い積の形にしますが、$b_1 b_2$ を掛けると場合分けが必要になります。$b_1 b_2 > 0$ ならば不等号の向きは変わらず、$b_1 b_2 < 0$ ならば不等号の向きは反転するからです。

　そこで、両辺に $b_1^2 b_2^2 > 0$ を掛けて分母を払います。すると、不等号の向きは変わらず、

$$\frac{a_1}{b_1} < \frac{a_2}{b_2} \iff a_1 b_1 b_2^2 < a_2 b_1^2 b_2$$

となります。そこで、整数のペアの大小関係を

$$(a_1, b_1) < (a_2, b_2) \iff a_1 b_1 b_2^2 < a_2 b_1^2 b_2$$

と定義すれば、私たちの知っている有理数の大小関係と整合性が取れることになります。

●問題 4-3（写像）

非負整数全体の集合を N_0 とし、後続数を得る演算を $\prime$ とします。このとき、N_0 の要素 0 に対して、

$$n' = 0$$

すなわち、

$$\prime: \quad n \longmapsto 0$$

を満たす集合 N_0 の要素 n は存在しません。しかし第 4 章本文では、後続数を得る演算 $\prime$ を集合 N_0 から集合 N_0 への写像といいました（p. 134）。これは写像の定義に反していないでしょうか。

ヒント：集合 X のどの要素に対しても、集合 Y の要素が一つ定まるとき、その対応を集合 X から集合 Y への写像といいます。

■解答 4-3

反していません。

集合 X から集合 Y への写像では、集合 X のどの要素に対して
も、それに対応する集合 Y の要素が一つ定まらなくてはいけま
せん。

しかし、集合 Y の要素に対しては、そこに対応してくる集合 X
の要素が必ずしも存在する必要はありません（存在してもかまい
ません）。

後続数を得る演算 $\prime$ では集合 X も集合 Y のどちらも集合 N_0 で、

$$\prime: \quad N_0 \longrightarrow N_0$$

は、すなわち、

$$\prime: \quad X \longrightarrow Y$$

として考えていることになります。集合 N_0 が、

$$\prime: \quad n \longmapsto 0$$

を満たす要素 n を持っていなくても、$\prime$ は集合 N_0 から集合 N_0 へ
の写像といえます。この 0 は集合 Y の要素であり、そこに対応し
てくる n が存在する必要はないからです。

解答 4-3 の補足

一般に、f が集合 X から集合 Y への写像であるとき、すなわち、

$$f: \quad X \longrightarrow Y$$

であるとき、

- 集合 X を写像 f の **定義域**（始域）
- 集合 Y を写像 f の **終域**

といいます。また終域 Y の要素のうち《写像 f で対応してくる定義域 X の要素が存在するもの》をすべて集めた集合を**値域**といいます。

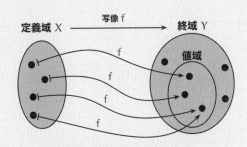

写像 f の定義域と終域と値域

終域と値域が等しい写像のことを**全射**といいます。問題 4-3 の後続数を得る演算 ' は写像ですが、終域と値域が等しくないので、全射ではありません。

●**問題 4-4**（体の公理）

有理数のペア全体の集合を $Q_2 = \mathbb{Q} \times \mathbb{Q}$ で表し、Q_2 の要素 (p_1, q_1) と (p_2, q_2) に対して、加法 + と乗法 × を次のように定義します。

$$(p_1, q_1) + (p_2, q_2) = (p_1 + p_2, q_1 + q_2)$$
$$(p_1, q_1) \times (p_2, q_2) = (p_1 p_2 + 2 q_1 q_2, q_1 p_2 + p_1 q_2)$$

このとき、Q_2 は体になることを証明してください。

ヒント：以下を証明します。

① Q_2 が加法と乗法で閉じていること（演算の結果もまた Q_2 に属していること）
② Q_2 に加法の単位元（環の零元）が存在すること
③ Q_2 に加法の交換法則が成り立つこと
④ Q_2 に加法の結合法則が成り立つこと
⑤ Q_2 で、任意の要素に加法の逆元が存在すること
⑥ Q_2 に乗法の単位元（環の単位元）が存在すること
⑦ Q_2 に乗法の結合法則が成り立つこと
⑧ Q_2 に分配法則が成り立つこと
⑨ Q_2 で、零元以外の任意の要素に乗法の逆元が存在すること

このうち①〜⑧は環の公理です。①〜⑨が証明できると、第4章本文（p.163）に登場した $\mathbb{Q}(\sqrt{2})$ が体であると確かめたことになります。

■解答 4-4

以下に示す①〜⑨により、Q_2 が体になることが証明されます。

① Q_2 が加法と乗法で閉じていることの証明

$p_1 + p_2$ と $q_1 + q_2$ はどちらも有理数ですから、$(p_1 + p_2, q_1 + q_2)$ は Q_2 の要素です。したがって、Q_2 は加法で閉じています。

また、$p_1 p_2 + 2q_1 q_2$ と $q_1 p_2 + p_1 q_2$ はどちらも有理数ですから、$(p_1 p_2 + 2q_1 q_2, q_1 p_2 + p_1 q_2)$ は Q_2 の要素です。したがって、Q_2 は乗法で閉じています。

② Q_2 に加法の単位元（環の零元）が存在することの証明

Q_2 の要素 $(0, 0)$ は加法の単位元（環の零元）です。なぜなら、

$$(p, q) + (0, 0) = (p + 0, q + 0)$$
$$= (p, q)$$

および、

$$(0, 0) + (p, q) = (0 + p, 0 + q)$$
$$= (p, q)$$

により、

$$(p, q) + (0, 0) = (0, 0) + (p, q) = (p, q)$$

が成り立つからです。

③ Q_2 に加法の交換法則が成り立つことの証明

有理数では加法の交換法則が成り立つので、

$$(p_1, q_1) + (p_2, q_2) = (p_1 + p_2, q_1 + q_2)$$
$$= (p_2 + p_1, q_2 + q_1)$$
$$= (p_2, q_2) + (p_1, q_1)$$

により、

$$(p_1, q_1) + (p_2, q_2) = (p_2, q_2) + (p_1, q_1)$$

が成り立ちます。

④ Q_2 に加法の結合法則が成り立つことの証明

有理数では加法の結合法則が成り立つので、

$$(p_1, q_1) + ((p_2, q_2) + (p_3, q_3)) = (p_1, q_1) + (p_2 + p_3, q_2 + q_3)$$
$$= (p_1 + (p_2 + p_3), q_1 + (q_2 + q_3))$$
$$= ((p_1 + p_2) + p_3, (q_1 + q_2) + q_3)$$
$$= (p_1 + p_2, q_1 + q_2) + (p_3, q_3)$$
$$= ((p_1, q_1) + (p_2, q_2)) + (p_3, q_3)$$

により、

$$(p_1, q_1) + ((p_2, q_2) + (p_3, q_3)) = ((p_1, q_1) + (p_2, q_2)) + (p_3, q_3)$$

が成り立ちます。

⑤ Q_2 で、任意の要素に加法の逆元が存在することの証明

(p, q) に対して、Q_2 の要素 $(-p, -q)$ は加法の逆元になります。なぜなら、

$$(p, q) + (-p, -q) = (p - p, q - q)$$
$$= (0, 0)$$
$$(-p, -q) + (p, q) = (-p + p, -q + q)$$
$$= (0, 0)$$

により、

$$(p, q) + (-p, -q) = (-p, -q) + (p, q) = (0, 0) \qquad 加法の単位元$$

だからです。

⑥ Q_2 に乗法の単位元（環の単位元）が存在することの証明

　　Q_2 の要素 $(1, 0)$ は乗法の単位元（環の単位元）です。なぜなら、

$$(p, q) \times (1, 0) = (p \cdot 1 + 2q \cdot 0, q \cdot 1 + p \cdot 0)$$
$$= (p, q)$$
$$(1, 0) \times (p, q) = (1 \cdot p + 2 \cdot 0 \cdot q, 0 \cdot p + 1 \cdot q)$$
$$= (p, q)$$

により、
$$(p, q) \times (1, 0) = (1, 0) \times (p, q) = (p, q)$$

が成り立つからです。

⑦ Q_2 に乗法の結合法則が成り立つことの証明

$$(p_1, q_1) \times ((p_2, q_2) \times (p_3, q_3))$$
$$= (p_1, q_1) \times (p_2 p_3 + 2 q_2 q_3, q_2 p_3 + p_2 q_3)$$
$$= (p_1(p_2 p_3 + 2 q_2 q_3) + 2 q_1(q_2 p_3 + p_2 q_3),$$
$$\qquad\qquad q_1(p_2 p_3 + 2 q_2 q_3) + p_1(q_2 p_3 + p_2 q_3))$$
$$= (p_1 p_2 p_3 + 2 p_1 q_2 q_3 + 2 q_1 q_2 p_3 + 2 q_1 p_2 q_3,$$
$$\qquad\qquad q_1 p_2 p_3 + 2 q_1 q_2 q_3 + p_1 q_2 p_3 + p_1 p_2 q_3)$$

および、

$$((p_1, q_1) \times (p_2, q_2)) \times (p_3, q_3)$$
$$= (p_1 p_2 + 2 q_1 q_2, q_1 p_2 + p_1 q_2) \times (p_3, q_3)$$
$$= ((p_1 p_2 + 2 q_1 q_2) p_3 + 2 (q_1 p_2 + p_1 q_2) q_3,$$
$$\qquad\qquad (q_1 p_2 + p_1 q_2) p_3 + (p_1 p_2 + 2 q_1 q_2) q_3)$$
$$= (p_1 p_2 p_3 + 2 q_1 q_2 p_3 + 2 q_1 p_2 q_3 + 2 p_1 q_2 q_3,$$
$$\qquad\qquad q_1 p_2 p_3 + p_1 q_2 p_3 + p_1 p_2 q_3 + 2 q_1 q_2 q_3)$$
$$= (p_1 p_2 p_3 + 2 p_1 q_2 q_3 + 2 q_1 q_2 p_3 + 2 q_1 p_2 q_3,$$
$$\qquad\qquad q_1 p_2 p_3 + 2 q_1 q_2 q_3 + p_1 q_2 p_3 + p_1 p_2 q_3)$$

により、

$$(p_1, q_1) \times ((p_2, q_2) \times (p_3, q_3)) = ((p_1, q_1) \times (p_2, q_2)) \times (p_3, q_3)$$

が成り立ちます。

⑧ Q_2 に分配法則が成り立つことの証明

$(p_1, q_1) \times ((p_2, q_2) + (p_3, q_3))$

$= (p_1, q_1) \times (p_2 + p_3, q_2 + q_3)$

$= (p_1(p_2 + p_3) + 2q_1(q_2 + q_3), q_1(p_2 + p_3) + p_1(q_2 + q_3))$

$= (p_1 p_2 + p_1 p_3 + 2q_1 q_2 + 2q_1 q_3, q_1 p_2 + q_1 p_3 + p_1 q_2 + p_1 q_3)$

および、

$((p_1, q_1) \times (p_2, q_2)) + ((p_1, q_1) \times (p_3, q_3))$

$= (p_1 p_2 + 2q_1 q_2, q_1 p_2 + p_1 q_2) + (p_1 p_3 + 2q_1 q_3, q_1 p_3 + p_1 q_3)$

$= (p_1 p_2 + 2q_1 q_2 + p_1 p_3 + 2q_1 q_3, q_1 p_2 + p_1 q_2 + q_1 p_3 + p_1 q_3)$

$= (p_1 p_2 + p_1 p_3 + 2q_1 q_2 + 2q_1 q_3, q_1 p_2 + q_1 p_3 + p_1 q_2 + p_1 q_3)$

により、

$(p_1, q_1) \times ((p_2, q_2) + (p_3, q_3)) = ((p_1, q_1) \times (p_2, q_2)) + ((p_1, q_1) \times (p_3, q_3))$

が成り立ちます（♡）。ところで、Q_2 では乗法の交換法則も成り立ちます。なぜなら、

$(p_1, q_1) \times (p_2, q_2) = (p_1 p_2 + 2q_1 q_2, q_1 p_2 + p_1 q_2)$

$= (p_2 p_1 + 2q_2 q_1, q_2 p_1 + p_2 q_1)$

$= (p_2, q_2) \times (p_1, q_1)$

だからです。したがって、♡ の積の左右を交換して、

$((p_2, q_2) + (p_3, q_3)) \times (p_1, q_1) = ((p_2, q_2) \times (p_1, q_1)) + ((p_3, q_3) \times (p_1, q_1))$

が成り立ちます。

⑨ Q_2 で、零元以外の任意の要素に乗法の逆元が存在することの証明

$p \neq 0$ かつ $q \neq 0$ である (p, q) に対して、Q_2 の要素

$$\left(\frac{p}{p^2 - 2q^2}, \frac{-q}{p^2 - 2q^2} \right)$$

は乗法の逆元になります。なぜなら、

$$(p, q) \times \left(\frac{p}{p^2 - 2q^2}, \frac{-q}{p^2 - 2q^2} \right)$$

$$= \left(p\frac{p}{p^2 - 2q^2} + 2q\frac{-q}{p^2 - 2q^2}, q\frac{p}{p^2 - 2q^2} + p\frac{-q}{p^2 - 2q^2} \right)$$

$$= \left(\frac{p^2}{p^2 - 2q^2} + \frac{-2q^2}{p^2 - 2q^2}, \frac{qp}{p^2 - 2q^2} + \frac{-pq}{p^2 - 2q^2} \right)$$

$$= \left(\frac{p^2 - 2q^2}{p^2 - 2q^2}, \frac{qp - pq}{p^2 - 2q^2} \right)$$

$$= (1, 0) \qquad \text{乗法の単位元}$$

および、Q_2 では乗法の交換法則が成り立つことから、

$$(p, q) \times \left(\frac{p}{p^2 - 2q^2}, \frac{-q}{p^2 - 2q^2} \right)$$

$$= \left(\frac{p}{p^2 - 2q^2}, \frac{-q}{p^2 - 2q^2} \right) \times (p, q) = (1, 0) \qquad \text{乗法の単位元}$$

だからです。

解答 4-4 の補足

⑨の

$$\left(\frac{p}{p^2 - 2q^2}, \frac{-q}{p^2 - 2q^2} \right)$$

は、$p + \sqrt{2}q$ の逆数

$$\frac{1}{p + \sqrt{2}q}$$

を使って見つけました。

$$\frac{1}{p + \sqrt{2}q} = \frac{p - \sqrt{2}q}{(p + \sqrt{2}q)(p - \sqrt{2}q)} \qquad \text{分子と分母に } p - \sqrt{2}q \text{ を掛けた}$$

$$= \frac{p - \sqrt{2}q}{p^2 - 2q^2} \qquad \text{分母を計算した}$$

$$= \frac{p}{p^2 - 2q^2} + \sqrt{2}\frac{-q}{p^2 - 2q^2}$$

この計算は、分母の有理化と呼ばれることがあります。

第5章の解答

●**問題 5-1** (すべての切断)

トランプのカードに描かれる 4 種類のマーク(スート)全体の集合を

$$S = \{\clubsuit, \diamondsuit, \heartsuit, \spadesuit\}$$

として、スートの強弱関係を、

《x よりも y が強い》$\Longleftrightarrow x < y$

《x は y と同じ強さ》$\Longleftrightarrow x = y$

で表すことにします。さらに、

$$\clubsuit = \clubsuit \quad \clubsuit < \diamondsuit \quad \clubsuit < \heartsuit \quad \clubsuit < \spadesuit$$
$$\diamondsuit = \diamondsuit \quad \diamondsuit < \heartsuit \quad \diamondsuit < \spadesuit$$
$$\heartsuit = \heartsuit \quad \heartsuit < \spadesuit$$
$$\spadesuit = \spadesuit$$

のように強弱関係を定めると、$\leqq$ は全順序関係になり、S は全順序集合になります。では、S のすべての切断を求めてください。

ヒント: $x \leqq y$ は、$x < y$ または $x = y$ のことです。

■解答 5-1

スートを「弱い順」に並べると、

$$\clubsuit < \diamondsuit < \heartsuit < \spadesuit$$

になりますので、切断を (A, B) の形で表すと、すべての切断は次の 3 通りです。

$A = \{\clubsuit\}$,　$B = \{\diamondsuit, \heartsuit, \spadesuit\}$　つまり　$(\{\clubsuit\},\ \{\diamondsuit, \heartsuit, \spadesuit\})$

$A = \{\clubsuit, \diamondsuit\}$,　$B = \{\heartsuit, \spadesuit\}$　つまり　$(\{\clubsuit, \diamondsuit\},\ \{\heartsuit, \spadesuit\})$

$A = \{\clubsuit, \diamondsuit, \heartsuit\}$,　$B = \{\spadesuit\}$　つまり　$(\{\clubsuit, \diamondsuit, \heartsuit\},\ \{\spadesuit\})$

答　$(\{\clubsuit\},\{\diamondsuit, \heartsuit, \spadesuit\})$,　$(\{\clubsuit, \diamondsuit\},\{\heartsuit, \spadesuit\})$,　$(\{\clubsuit, \diamondsuit, \heartsuit\},\{\spadesuit\})$

●**問題 5-2**（切断）

㋐〜㋔のそれぞれについて、集合のペア (A, B) が集合 S の切断か否かを答えてください。要素の比較には通常の大小関係 $<$ を用います。

㋐ $\begin{cases} S = \{0, 1, 2, 3, \ldots\} \\ A = \{0\} \\ B = \{1, 2, 3, \ldots\} \end{cases}$

㋑ $\begin{cases} S = 整数全体の集合 \mathbb{Z} \\ A = 負の整数全体の集合 \\ B = 正の整数全体の集合 \end{cases}$

㋒ $\begin{cases} S = 有理数全体の集合 \mathbb{Q} \\ A = \{x \in \mathbb{Q} \mid x^2 < 3\} \\ \quad\quad (x^2 < 3 \text{ を満たす有理数 } x \text{ 全体の集合}) \\ B = \{x \in \mathbb{Q} \mid x^2 > 3\} \\ \quad\quad (x^2 > 3 \text{ を満たす有理数 } x \text{ 全体の集合}) \end{cases}$

㋓ $\begin{cases} S = 実数全体の集合 \mathbb{R} \\ A = \mathbb{R} \\ B = \{\} \end{cases}$

㋔ $\begin{cases} S = 実数全体の集合 \mathbb{R} \\ A = \{x \in \mathbb{R} \mid x \leqq \pi\} \quad (\pi \text{ は円周率}) \\ B = \{x \in \mathbb{R} \mid x \geqq \pi\} \end{cases}$

■解答 5-2

㋐ 切断です。

㋑ 切断ではありません。
　なぜなら、整数 0 が、二つの集合 A, B のどちらの要素にも
なっていないため、$A \cup B \neq S$ だからです。

㋒ 切断ではありません。
　なぜなら、A の要素の中には B の要素よりも大きなものが存
在するからです。たとえば、$a = 1, b = -2$ とすると、

$$a^2 = 1^2 = 1 < 3$$
$$b^2 = (-2)^2 = 4 > 3$$

により、$a \in A$ および $b \in B$ ですが、$b < a$ です。

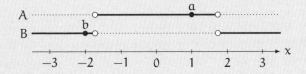

㋓ 切断ではありません。
　なぜなら、B が空集合 {} だからです。

㋔ 切断ではありません。
　なぜなら、$A \cap B = \{\pi\}$ なので、$A \cap B = \{\}$ にならないから
です。

●**問題 5-3**（最小元）

0 より大きい実数全体の集合、すなわち正の実数全体の集合を $\mathbb{R}^+$ とします。

$$\mathbb{R}^+ = \{x \in \mathbb{R} \mid x > 0\}$$

この集合 $\mathbb{R}^+$ に最小元が存在しないことを証明してください。

ヒント： a を全順序集合 S の要素とします。S の任意の要素 x に対して、

$$a \leqq x$$

が成り立つとき、a は S の最小元であるといいます。

■**解答 5-3**

証明

　$\mathbb{R}^+$ に最小元が存在すると仮定します。a が $\mathbb{R}^+$ の最小元であるとき、

$$b = \frac{a}{2}$$

とすると、

$$0 < b < a$$

です。$b > 0$ ですから、b は $\mathbb{R}^+$ の要素です。さらに $b < a$ から、a は $\mathbb{R}^+$ の最小元ではありません。これは a が $\mathbb{R}^+$ の最小元であることに矛盾します。したがって、$\mathbb{R}^+$ には最小元は存在しません。

（証明終わり）

●問題 5-4（全順序関係にならない理由）

整数を 3 で割った剰余全体の集合 $\mathbb{Z}_3 = \{0, 1, 2\}$ に対して、次の加算表で加法 + が定義されています。

+	0	1	2
0	0	1	2
1	1	2	0
2	2	0	1

$\mathbb{Z}_3$ の加算表

また、$\mathbb{Z}_3$ の任意の要素 x に対して、

$$x < x + 1$$

であると定義します。このとき、$\leqq$ は $\mathbb{Z}_3$ 上の全順序関係になりません。それはなぜですか。

ヒント: $\leqq$ が $\mathbb{Z}_3$ 上の全順序関係であるとは、集合 $\mathbb{Z}_3$ の任意の要素 x と y と m に対して、次の①,②,③,④が成り立つことです。

  ① 反射律 $x \leqq x$
  ② 反対称律 $x \leqq y$ かつ $y \leqq x$ ならば $x = y$
  ③ 推移律 $x \leqq m$ かつ $m \leqq y$ ならば $x \leqq y$
  ④ 比較律 $x \leqq y$ または $y \leqq x$

また、$x \leqq y \Longleftrightarrow x < y$ または $x = y$ です。詳しくは p. 220 を参照してください。

■**解答 5-4**

この関係 $\leqq$ が $\mathbb{Z}_3$ 上の全順序関係にならないのは、**推移律**を満たさないからです。$x < x + 1$ と加算表より、

$$0 < 1, \quad 1 < 2, \quad 2 < 0$$

ですから、

$$0 \leqq 1 \text{ かつ } 1 \leqq 2$$

は成り立ちますが、$0 \leqq 2$ は成り立ちません。したがって、この $\leqq$ は推移律を満たしていません。

もっと考えたいあなたのために

　本書の数学トークに加わって「もっと考えたい」というあなたのために、研究問題を以下に挙げます。解答は本書に書かれていませんし、たった一つの正解があるとも限りません。

　あなた一人で、あるいはこういう問題を話し合える人たちといっしょに、じっくり考えてみてください。

第1章 0, 1, 2, 3, . . . を作ろう

●**研究問題 1-X1**（空集合）

本書では、要素が一つもないことがはっきりわかるように空集合を {} と表記していますが、数学書では空集合を、

$$\varnothing$$

と表記するのが普通です。すなわち、$\varnothing$ は集合で、

$$\varnothing = \{\}$$

です。空集合を $\varnothing$ と表記するメリットについて、自由に考えてみましょう。

●**研究問題 1-X2**（交換法則）

第1章本文では、ノイマンの数 0, 1, 2, 3, . . . を作り、足し算ルールを定めました。ところでここで定めたルールだけで交換法則が成り立つことになるでしょうか。すなわち、どんなノイマンの数 m, n についても、

$$m + n = n + m$$

は成り立ちますか。もしも成り立つなら、それを証明してください。

●**研究問題 1-X3**（プログラムが扱う数）

コンピュータのプログラムは計算を行いますので、数を取り扱う必要があります。次の各状況でプログラムはどのように数を扱っているのかを調べてみましょう。

【**入力**】　プログラムは、キーボードの $\boxed{3}$ のキーが打たれると、3 という数が入力されたと知ることができます。

【**計算**】　プログラムは、3 + 2 の計算を行って 5 という答えを得ることができます。

【**記憶**】　プログラムは、5 という数を記憶しておくことができます。

【**出力**】　プログラムは、計算結果の 5 という数をディスプレイに出力できます。

第2章 −1, −2, −3, . . . を作ろう

●研究問題 2-X1 （整数を作る別のペア）

第2章本文では、非負整数のペア (m, n) を使って整数を作りました。それでは「符号を表す文字」と「非負整数 n」のペアを使って整数を作ってみましょう。たとえば 3 は $(+, 3)$ で表し、−3 は $(−, 3)$ で表します。

- 0 はどう扱ったらいいでしょう。
- 整数が等しいことはどう定義できますか。
- 足し算、引き算、大小関係はどう定義できますか。

●研究問題 2-X2 （ペアの解釈）

第2章本文では、非負整数のペア (m, n) を使って整数を作りました。そのときユーリは「ペアの意味」と称して、ペア (m, n) は《右に m 歩、左に n 歩》進むようなものだと解釈しました (p. 70)。また「僕」は、ペア (m, n) を x 座標の値が m で、y 座標の値が n である点として考えました (p. 71)。あなたもペア (m, n) の解釈について自由に考えてみましょう。

●**研究問題 2-X3**（絶対値）

第2章本文では、非負整数のペア (m, n) を使って整数を作りました。それでは、このペアが表す整数の**絶対値** $|(m, n)|$ を定義してください。

ヒント: 整数 x の絶対値 $|x|$ は、

$$|x| = \begin{cases} x & x \geqq 0 \text{ のとき} \\ -x & x < 0 \text{ のとき} \end{cases}$$

で定義されますので、整数 x を表す非負整数ペア (m, n) の m, n を使って $|(m, n)|$ を表すことになります。たとえば、次のようになる必要があります。

- $|(3, 0)| = |3| = 3$
- $|(2, 3)| = |-1| = 1$
- $|(3, 3)| = |0| = 0$

●**研究問題 2-X4**（斜めに並んだ点）

第2章本文で、整数を表すペア (m, n) を座標平面上の点と考え、斜めに並んだ点を等しいと見なしました（p.76）。

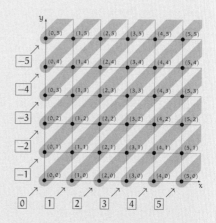

斜めの線を下図のように延長して x 軸との交点を考えます。すると、x 座標の値は、ペアが表す整数に等しくなります。その理由を考えてみましょう。

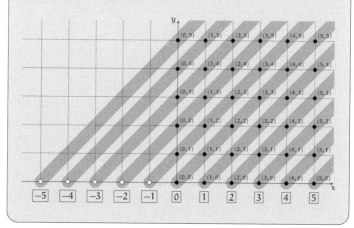

●研究問題 2-X5（順序対）

要素を並べて集合を表す場合、並べる順序に意味はありません。すなわち、

$$\{1, 2\} = \{2, 1\}$$

です。しかし、第2章に登場したペアでは、

$$(1, 2) \neq (2, 1)$$

となり、左右の成分を並べる順序には意味があります。一般に、二つの成分を並べ、その順序に意味がある一対のことを、**順序対**といいます[*1]。集合を用いて、順序対を定義することはできるでしょうか。

[*1] 第2章のペアでは $(1, 1) = (2, 2)$ と定めました。しかし順序対では $(1, 1) \neq (2, 2)$ と定めるのが普通です。ですから、第2章のペアは数学で用いられる順序対そのものではありません。

第3章 環を作ろう

●**研究問題 3-X1**（位取り記数法）

第3章本文では、実数係数の多項式を係数列で表すことを考えました。たとえば、多項式 $4x^3 + 3x^2 + 2x + 1$ は係数列を使って、

$$4x^3 + 3x^2 + 2x + 1 \longleftrightarrow (1, 2, 3, 4, 0, 0, 0, \ldots)$$

と表せます。ところで、十進法の位取り記数法で表した整数 4321 は、$y = 10$ と置くと、$4y^3 + 3y^2 + 2y + 1$ と書けるので多項式そっくりです。そこで、各桁の数字列を使えば、

$$4y^3 + 3y^2 + 2y + 1 \longleftrightarrow (1, 2, 3, 4, 0, 0, 0, \ldots)$$

と表すことができます。多項式を係数列で表記したものと、整数を各桁の数字列で表記したものとで、似ているところと異なるところを自由に考えてください。

●**研究問題 3-X2**（多項式環 $\mathbb{Z}_2[x]$）

第3章本文では、実数係数の多項式環 $\mathbb{R}[x]$ を考えました。また章末問題 3-1 では、剰余環 $\mathbb{Z}_2$ を考えました（p. 256）。それでは、

　　　剰余環 $\mathbb{Z}_2$ の要素を係数に持つ多項式環 $\mathbb{Z}_2[x]$

について自由に考えてみましょう。

●**研究問題 3-X3**（行列環 $M_2(\mathbb{R})$）

$a_{11}, a_{12}, a_{21}, a_{22}, b_{11}, b_{12}, b_{21}, b_{22}$ は実数とします。

$$\begin{pmatrix} a_{11} & a_{12} \\ a_{21} & a_{22} \end{pmatrix} \quad や \quad \begin{pmatrix} b_{11} & b_{12} \\ b_{21} & b_{22} \end{pmatrix}$$

のように実数を並べたものを、実数を成分に持つ 2 次の正方行列といいます。実数を成分に持つ 2 次の正方行列全体の集合を、

$$M_2(\mathbb{R})$$

と書きます。$M_2(\mathbb{R})$ における加法を

$$\begin{pmatrix} a_{11} & a_{12} \\ a_{21} & a_{22} \end{pmatrix} + \begin{pmatrix} b_{11} & b_{12} \\ b_{21} & b_{22} \end{pmatrix} = \begin{pmatrix} a_{11} + b_{11} & a_{12} + b_{12} \\ a_{21} + b_{21} & a_{22} + b_{22} \end{pmatrix}$$

で定め、$M_2(\mathbb{R})$ における乗法を

$$\begin{pmatrix} a_{11} & a_{12} \\ a_{21} & a_{22} \end{pmatrix}\begin{pmatrix} b_{11} & b_{12} \\ b_{21} & b_{22} \end{pmatrix} = \begin{pmatrix} a_{11}b_{11} + a_{12}b_{21} & a_{11}b_{12} + a_{12}b_{22} \\ a_{21}b_{11} + a_{22}b_{21} & a_{21}b_{12} + a_{22}b_{22} \end{pmatrix}$$

で定めると、$M_2(\mathbb{R})$ は環になります。

- 加法の単位元（環の零元）は何ですか。
- 乗法の単位元（環の単位元）は何ですか。
- 乗法の交換法則は成り立ちますか（p. 111 参照）。
- 与えられた行列 $\begin{pmatrix} a_{11} & a_{12} \\ a_{21} & a_{22} \end{pmatrix}$ の乗法に関する逆元は存在しますか。

さらに、整数環 $\mathbb{Z}$ や剰余環 $\mathbb{Z}_3$ や剰余環 $\mathbb{Z}_2$ の要素を成分に持つ 2 次の正方行列が作る環 $M_2(\mathbb{Z}), M_2(\mathbb{Z}_3), M_2(\mathbb{Z}_2)$ についても同様に考えてみましょう。

第4章 ペアが生み出す世界

●**研究問題 4-X1**（ペアに対する操作）

　第2章では整数 $m - n$ を表す非負整数のペア (m, n) が登場しました。左右の成分を交換する操作 $(m, n) \to (n, m)$ は、符号を反転した整数、すなわち加法の逆元を得る方法といえます。また、左右の成分に同じ数を加える操作は、等しい整数を表す別のペアを見つける方法の一つです。

　第3章では有理数 $\frac{a}{b}$ を表す整数のペア (a, b) が登場しました（$b \neq 0$）。左右の成分を交換する操作 $(a, b) \to (b, a)$ は、逆数、すなわち乗法の逆元を得る方法といえます。また、左右の成分に同じ数を掛ける操作は、等しい有理数を表す別のペアを見つける方法の一つです。

　第4章では複素数 $a + bi$ を表す実数のペア (a, b) が登場しました。左右の成分を交換する操作 $(a, b) \to (b, a)$ にはどんな意味があるでしょうか。操作 $(a, b) \to (a, -b)$ ではどうですか。左右の成分に同じ数を加えたり掛けたりする操作はどうでしょう。

　本書に登場するさまざまなペアに対して、左右の成分に対する操作を自由に考え、その操作がどんな意味を持っているかを考えてみましょう。

●**研究問題 4-X2**（直交座標と極座標）

　複素数 $a + bi$ を表す実数のペア (a, b) を座標平面上の点と見なしたとき、この座標平面は**複素数平面**と呼ばれます。このときの座標平面は**直交座標**になっています。

　ところで、平面上の点 (a, b) は**極座標**を使って、

$$\begin{cases} a = r\cos\theta \\ b = r\sin\theta \end{cases}\quad \begin{aligned} &r, \theta \text{ は実数。} r \geqq 0 \text{ および } 0 \leqq \theta < 2\pi \text{ で、} \\ &\text{特に } r = 0 \text{ のときは } \theta = 0 \text{ とする。} \end{aligned}$$

と表すこともできます[*2]。すると、複素数は r と θ のペアを使っても表せることになります。

　複素数を (a, b) で表すことと (r, θ) で表すことの類似点と相違点を自由に考えてみましょう。

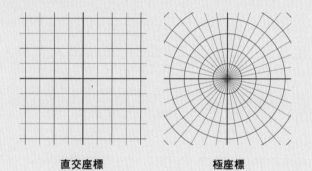

直交座標　　　　　　　　極座標

[*2] ここに書いた r と θ に対する条件は一例です。他の場合も考えられます。

●**研究問題 4-X3**（表記）

第 4 章本文で、「僕」とテトラちゃんとミルカさんは数学におけるさまざまな表記について思いを馳せていました（p. 141）。あなたも、数学で出会うさまざまな表記について調べたり考えたりしてみましょう。歴史的な経緯を調べるのもいいですし、プログラミング言語での表記を調べるのもいいですね。

▶ 表記について考えるときには、「この表記が良い」や「この表記が悪い」のように、良し悪しを単純に決め付けないようにしましょう。「この表記は、この目的のためにはこういう理由で良い」のように、必ず目的や理由も合わせて考えるようにしてください。たとえば、厳密に表せるのが常に良い表記とは限りません。

●**研究問題 4-X4**（標準形）

第 4 章本文では、既約分数は有理数を整数のペアで表したときのいわば標準形であるという話題が出てきました（p. 148）。私たちが学ぶ数、多項式、関数といったさまざまな数学的対象について「いわば標準形」といえるものがあるかどうか考えてみましょう。

第5章 デデキントの切断

●研究問題 5-X1（切断で定義した実数の加減乗除）
第5章本文では、有理数全体の集合 $\mathbb{Q}$ の切断 (A, B) を使って実数を作りましたが、実数の大小関係しか定義していません。実数の加減乗除を考えてみましょう。

ヒント：たとえば切断の和、$(A_3, B_3) = (A_1, B_1) + (A_2, B_2)$ を定義する場合、集合 A_3 と B_3 を、集合 A_1, B_1, A_2, B_2 を使って表します。そして (A_3, B_3) が $\mathbb{Q}$ の切断になっていることを証明します。さらに、交換法則などの法則が成り立っていることを証明します。詳細は、参考文献 [20][24] を参照してください。

●研究問題 5-X2（$\mathbb{Q}(\sqrt{2})$ の切断）
第5章本文では、有理数全体の集合 $\mathbb{Q}$ に対して切断を行い、実数を作りました。それでは集合 $\mathbb{Q}(\sqrt{2})$ に対して切断を行ったら、新しい数が作れるでしょうか。$\mathbb{Q}(\sqrt{2})$ は、$p + \sqrt{2}q$ で表される数全体の集合（p, q は有理数）で、加減乗除や大小関係はすでに定義されているものとします。

$$\mathbb{Q}(\sqrt{2}) = \{p + \sqrt{2}q \mid p \in \mathbb{Q}, q \in \mathbb{Q}\}$$

●**研究問題 5-X3**（順序数）

非負整数全体の集合に ω（オメガ）という名前を付けます。つまり、

$$\omega = \{0, 1, 2, 3, \ldots\}$$

です。ところで集合 ω を第 1 章の「ノイマンの方法」で定義した数（ノイマンの数）と見なすなら、任意の非負整数 n に対して $n \in \omega$ であり、$n < \omega$ がいえます（p. 251 参照）。つまり、ω はどんな非負整数よりも大きいので、いわば「無限大」のように見えます。しかし、ω よりもさらに大きな「数のようなもの」が作れます。なぜなら、

$$\omega \cup \{\omega\}$$

という集合は ω の《次の数》のように見え、

$$\omega + 1 = \omega \cup \{\omega\}$$

と表すと、ω が $\omega \cup \{\omega\}$ の要素であることより、

$$\omega < \omega + 1$$

がいえるからです。さらに考えを進めると、

$$0 < 1 < 2 < \cdots < \omega < \omega + 1 < \omega + 2 < \cdots$$

もいえそうです。どこまで進められるか自由に考えてみましょう。この話題をさらに学びたい場合には、**順序数**および**超限順序数**というキーワードで、参考文献 [15], [20], [23], [14] を参照してください。

●**研究問題 5-X4**（無限大を作ろう）

第5章本文では、有理数全体の集合 $\mathbb{Q}$ の切断で実数を作り
ました。ペア $(\mathbb{Q}, \{\})$ は $\mathbb{Q}$ の切断ではありませんから、ペ
ア $(\mathbb{Q}, \{\})$ に対応する実数はありません。ここで、$(\mathbb{Q}, \{\})$ も
「数のようなもの」を表していると見なし、$\mathbb{Q}$ の切断 (A, B)
が表す実数との大小を強引に考えるなら、$A \subset \mathbb{Q}$ かつ $A \neq \mathbb{Q}$
であることから、

$$(A, B) < (\mathbb{Q}, \{\})$$

であり、$(\mathbb{Q}, \{\})$ が表す「数のようなもの」はどんな実数より
も大きくなります。つまり、$(\mathbb{Q}, \{\})$ は大小関係において ∞
（無限大）のようなものを表しており、同様に $(\{\}, \mathbb{Q})$ は $-\infty$
（マイナス無限大）のようなものを表しているといえそうで
す。このアイディアはどこまで正当化できるでしょう。たと
えば、集合 $\mathbb{R} \cup \{\infty, -\infty\}$ に納得感のある加減乗除を入れる
ことはできるでしょうか。自由に考えてみましょう。

研究問題 5-X4 の補足

　デデキントの切断や研究問題 5-X4 と直接の関係はありません
が、集合のペアを使って構成できる **超現実数** という数の体系が
あり、超現実数は無限大や無限小を持っています。詳しくは参考
文献 [15],[25] を参照してください。

あとがき

> 数とは人間精神の自由な創造物である。
> ──デデキント

こんにちは、結城浩です。

『数学ガールの秘密ノート／数を作ろう』をお読みくださり、ありがとうございます。

本書は、空集合から始まって、非負整数、整数、有理数、実数、そして複素数などの「数」を作っていく長い旅を描いた一冊です。その旅の途中では、環や体といった代数系や全順序関係のような「数学的構造」もちょっぴり眺めました。

ユーリ、テトラちゃん、ミルカさん、そして「僕」といっしょに数を作る過程を楽しみ、自由な創造の喜びを感じていただけたならうれしいです。

本書は、2016 年に執筆した Web 連載「数学ガールの秘密ノート」（第 151 回～第 160 回）をもとに大幅に加筆し、書籍として再編集したものです。

「数学ガール」には、三つのシリーズがあります。

- 「**数学ガール**」シリーズは、幅広く本格的な数学を題材にした物語。
- 「**数学ガールの秘密ノート**」シリーズは、やさしい数学を題材にした対話形式の物語。
- 「**数学ガールの物理ノート**」シリーズは、やさしい物理学を題材にした対話形式の物語。

どのシリーズも、中学生と高校生たちが数学トークや物理学トークを楽しく繰り広げています。ぜひ、応援してくださいね。

本書は、LaTeX 2_ε と Euler フォント（AMS Euler）を使って組版しました。組版では、奥村晴彦先生の『LaTeX 2_ε 美文書作成入門』に助けられました。感謝します。図版は、OmniGraffle, TikZ, TeX2img を使って作成しました。感謝します。

執筆途中の原稿を読み、貴重なコメントを送ってくださった、以下の方々と匿名の方々に感謝します。当然ながら、本書中に残っている誤りはすべて筆者によるものであり、以下の方々に責任はありません。

安福智明さん、井川悠祐さん、石井雄二さん、石宇哲也さん、稲葉一浩さん、上原隆平さん、植松弥公さん、岡内孝介さん、鏡弘道さん、梶田淳平さん、木村巌さん、郡茉友子さん、杉田和正さん、高井実さん、なかけんさん、平田敦さん、藤田博司さん、梵天ゆとりさん（メダカカレッジ）、前原正英さん、増田菜美さん、松岡大輔さん、松森至宏さん、三國瑶介さん、宮原円生さん、村井建さん、山田泰樹さん。

　編集にご尽力くださった、SB クリエイティブの友保健太副編集長に感謝します。

　執筆を応援してくださっている読者のみなさんに感謝します。

　どんなときも私を支えてくれる家族に感謝します。

　本書を最後まで読んでくださり、ありがとうございます。

　では、次の本でまたお会いしましょう！

2023 年 3 月

結城 浩

参考文献と読書案内

> ギリシャ以来、数学を語る者は証明を語る。
> ——ブルバキ

数学ガール・数学ガールの秘密ノート

[1] 結城 浩, 『数学ガール』, SB クリエイティブ, ISBN978-4-7973-4137-9, 2007 年.

「数学ガール」シリーズ第1巻。「僕」、ミルカさん、それにテトラちゃんの三人の出会いと活躍を描いた読み物です。高校生三人組が放課後の図書室で、教室で、喫茶店で、学校の数学とはひとあじ違う数学に挑戦します。扱っている話題は、素数、絶対値、フィボナッチ数列、相加相乗平均の関係、コンボリューション（たたみ込み）、調和数、ゼータ関数、テイラー展開、母関数、二項定理、カタラン数、分割数などです。〔本書に関連する話題として、母関数、形式的冪級数を含んでいます〕

[2] 結城浩, 『数学ガール／フェルマーの最終定理』, SB クリエイティブ, ISBN978-4-7973-4526-1, 2008 年.

「数学ガール」シリーズ第2巻。いつもの高校生三人組

に中学生のユーリが加わり、整数の《ほんとうの姿》を求めて旅出つ読み物です。簡単な数のクイズから始まり、群・環・体を通ってフェルマーの最終定理に至るまでを描きます。扱っている話題は、互いに素、ピタゴラスの定理、ピタゴラス数、素因数分解、最大公約数、最小公倍数、背理法、鳩の巣論法、群の定義、アーベル群、整数の剰余、合同、オイラーの公式、フェルマーの最終定理などです。〔本書に関連する話題として、整数の剰余、背理法、環と体などを含んでいます〕

[3] 結城浩, 『数学ガール／ゲーデルの不完全性定理』, SB クリエイティブ, ISBN978-4-7973-5296-2, 2009 年.

「数学ガール」シリーズ第3巻。高校生三人組とユーリが、形式的体系を駆使して《数学を数学する》物語です。《不完全性》という名前のため誤解されることの多い、ゲーデルの不完全性定理に挑戦します。扱っている話題は、ペアノの公理、数学的帰納法、集合の基礎、ラッセルのパラドックス、写像、極限、$0.999\cdots = 1$、数理論理学の基礎、ε-δ 論法、対角線論法、同値関係、ラジアン、$\sin$ と $\cos$、ヒルベルト計画、ゲーデルの不完全性定理の証明などです。〔本書に関連する話題として、集合、写像、整数や有理数の構成などを含んでいます〕

[4] 結城浩, 『数学ガール／ガロア理論』, SB クリエイティブ, ISBN978-4-7973-6754-6, 2012 年.

「数学ガール」シリーズ第5巻。夭逝した青年ガロアに端を発する群論と現代代数学の基本を学んでいく物語です。扱っている話題は、あみだくじと群、解の公式、対称式、対称群、巡回群、アーベル群、1の原始 n 乗根と円分多項式、角の三等分問題、線形空間、3 次方程式の

解の公式、拡大体と部分体、正規部分群、ガロアの第一
論文、5 次方程式に解の公式が存在しないことの証明、
ガロア理論の基本定理などです。〔本書に関連する話題
として、体の拡大、添加体を含んでいます〕

[5] 結城浩,『数学ガールの秘密ノート／場合の数』, SB クリエ
イティブ, ISBN978-4-7973-8711-7, 2016 年.
順列や組み合わせなどの場合の数を学んでいく読み物で
す。〔本書に関連する話題として、集合とヴェン図を含
んでいます〕

[6] 結城浩,『数学ガールの秘密ノート／整数で遊ぼう』, SB ク
リエイティブ, ISBN978-4-7973-7415-5, 2013 年.
整数の剰余、エラトステネスのふるい、ウラムの螺旋、
数当てマジック、数学的帰納法などを通じて整数に親し
んでいく読み物です。〔本書に関連する話題として、整
数を 3 で割った剰余環を含んでいます〕

[7] 結城浩,『数学ガールの秘密ノート／微分を追いかけて』,
SB クリエイティブ, ISBN978-4-7973-8231-0, 2015 年.
点の位置と速度のグラフから始まって、具体的な計算を
しながら微分を学んでいく読み物です。〔本書に関連す
る話題として、多項式関数の係数操作（エピローグ）を
含んでいます〕

[8] 結城浩,『数学ガールの秘密ノート／行列が描くもの』, SB
クリエイティブ, ISBN978-4-7973-9530-3, 2018 年.
行列の基本的な計算を学び、複素数と行列の関係を考
え、線形変換を座標平面を使って視覚的にとらえること
を通して、行列の役割を理解していく読み物です。〔本
書に関連する話題として、2 × 2 行列が作る環、行列が
作る写像、行列で複素数を作ることを含んでいます〕

[9] 結城浩, 『数学ガールの秘密ノート／複素数の広がり』, SB クリエイティブ, ISBN978-4-8156-0602-2, 2020 年.

実数の計算と数直線、複素数の計算と複素平面、共役複素数と方程式の解、正五角形と三角関数、ハミルトンの四元数と行列などを学んでいく読み物です。〔本書に関連する話題として、複素数の魅力、直交座標と極座標、行列で複素数を作ること、行列で四元数を作ることを含んでいます〕

[10] 結城浩, 『数学ガールの秘密ノート／ビットとバイナリー』, SB クリエイティブ, ISBN978-4-7973-9139-8, 2019 年.

10 進法と 2 進法の位取り記数法、ビットパターン、ピクセル、ビット演算、2 の補数表現、グレイコード、ルーラー関数、順序集合とブール代数などを通して、コンピュータに関係する数学を学んでいく読み物です。〔本書に関連する話題として、集合とヴェン図、全順序集合などを含んでいます〕

教科書・参考書・事典

[11] 嘉田勝, 『論理と集合から始める数学の基礎』, 日本評論社, ISBN978-4-535-78472-7, 2008 年.

数学や情報科学を学ぶ基礎となる内容を、論理と集合に焦点を当てて解説した入門書です。〔本書に関連する話題として、集合、写像、順序関係を含んでいます〕

[12] 松坂和夫, 『集合・位相入門』, 松坂和夫 数学入門シリーズ 1, 岩波書店, ISBN978-4-00-029871-1, 1968 年（新装版 2018 年）.

集合と位相に関する教科書です。〔本書に関連する話題として、集合と論理の基本、集合の間の演算、同値類、順序数などを含んでいます〕

[13] 松坂和夫, 『代数系入門』, 松坂和夫 数学入門シリーズ 3, 岩波書店, ISBN978-4-00-029873-5, 1976 年（新装版 2018 年）.
代数学の教科書です。〔本書に関連する話題として、集合、写像、整数の除法、環、体、複素数などを含んでいます〕

[14] ティモシー・ガワーズ＋ジューン・バロウ＝グリーン＋イムレ・リーダー 編, 砂田利一＋石井仁司＋平田典子＋二木昭人＋森 真 監訳, 『プリンストン数学大全』, 朝倉書店, ISBN978-4-254-11143-9, 2015 年.
数学をさまざまな角度からまとめた総合事典です。

数の構成

[15] J. H. コンウェイ＋ R. K. ガイ, 根上生也 訳, 『数の本』, シュプリンガー・フェアラーク東京, ISBN978-4-431-70770-7, 2001 年.
さまざまな数についての話題が集まった楽しい読み物です。〔本書に関連する話題として、順序数、超現実数を含んでいます〕

[16] 志賀浩二, 『数学が生まれる物語 第 1 週 数の誕生』, 岩波書店, ISBN978-4-00-600287-9, 2013 年.
身のまわりの世界や、人間の生活の中から生まれてくる数学を丁寧に扱っている読み物シリーズの第 1 巻です。〔本書に関連する話題として、集合、自然数、分数などを含んでいます〕

[17] 志賀浩二, 『数学が生まれる物語 第2週 数の世界』, 岩波書店, ISBN978-4-00-600288-6, 2013 年.

　　　身のまわりの世界や、人間の生活の中から生まれてくる数学を丁寧に扱っている読み物シリーズの第2巻です。〔本書に関連する話題として、負数の導入、有理数、実数の連続性などを含んでいます〕

[18] 彌永 昌吉, 『数の体系（上)』, 岩波書店, ISBN978-4-00-416001-4, 1972 年.

　　　集合の基本から始まり、集合に構造を与え、公理的立場から自然数を定義していきます。〔本書に関連する話題として、集合、写像、自然数、代数系などを含んでいます〕

[19] 彌永昌吉, 『数の体系（下)』, 岩波書店, ISBN978-4-00-420043-7, 1978 年.

　　　上巻に引き続き、整数から複素数までを定義していきます。実数はデデキントの切断で構成し、実数の加減乗除も定義しています。〔本書に関連する話題として、整数、有理数、実数、環、体などを含んでいます〕

[20] 島内剛一, 『数学の基礎』, 日本評論社, ISBN978-4-535-60106-2, 1971 年.

　　　論理と集合に始まり、自然数、整数、有理数、実数、複素数そして初等関数まで、省略なく数学を組み立てている名著です。実数はデデキントの切断で構成し、実数の加減乗除も定義しています。

[21] 足立恒雄, 『数の発明』, 岩波書店, ISBN978-4-00-029619-9, 2013 年.

　　　数や量に関して文化的・歴史的に考察し、自然数、整数、有理数、実数、複素数をごく簡潔に定義しています。

実数は基本列（コーシー列）を使って定義しています。
〔第2章の構成について参考にしました〕

[22] 足立恒雄,『数―体系と歴史―』, 朝倉書店, ISBN978-4-254-11088-3, 2002 年.

論理と集合に始まり自然数、整数、有理数、実数、複素数を定義しています。また、数の体系がどのような歴史的背景を持っているかも解説しており、たいへん読みやすく構成されています。実数は基本列（コーシー列）を使って定義しています。

[23] 齋藤正彦,『数学の基礎 集合・数・位相』, 東京大学出版会, ISBN978-4-13-062909-6, 2002 年.

集合に始まり自然数、整数、有理数、複素数を定義しています。付録に公理的集合論入門があります。実数は基本列（コーシー列）を使って定義しています。〔本書に関連する話題として、集合、写像、順序、代数系（環・体）、順序数、超限順序数を含んでいます〕

[24] 高木貞治, 『定本 解析概論』, 岩波書店, ISBN978-4-00-005209-2, 2010 年.

たいへん広く知られている解析学の教科書です。附録 (I) の無理数論でデデキントの切断によって実数を構成し、実数の加減乗除も定義しています。〔デデキントの切断について参考にしました〕

[25] Donald E. Knuth, "Surreal Numbers", Addison-Wesley, ISBN978-0-201-03812-5, 1974 年.
（邦訳）松浦 俊輔 訳,『至福の超現実数』, 柏書房, ISBN978-4-760-12646-0, 2004 年.

デデキントの切断に似た二つの集合のペアを用い、空集合のペアが作り出す 0 からスタートして、無限大や無限

小までを含む「超現実数」を構成する物語です。

歴史的文書

[26] デーデキント, 河野伊三郎 訳, 『数について』, 岩波書店, ISBN978-4-00-339241-6, 1961 年.

    デデキントの切断が示されている『連続性と無理数』を収録しています。デデキントは構成した実数の加算についてのみ定義しています。

[27] リヒャルト・デデキント, 渕野 昌 訳, 『数とは何かそして何であるべきか』, 筑摩書房, ISBN978-4-480-09547-3, 2013 年.

    デデキントの切断が示されている『連続性と無理数』を収録しています。デデキントは構成した実数の加算についてのみ定義しています。また、現代の数学との差異についての訳注と、数学の基礎付けに関する訳者の付録も充実しています。

索引

●結城浩の著作

『C 言語プログラミングのエッセンス』，ソフトバンク，1993（新版：1996）
『C 言語プログラミングレッスン　入門編』，ソフトバンク，1994
　　（改訂第 2 版：1998）
『C 言語プログラミングレッスン　文法編』，ソフトバンク，1995
『Perl で作る CGI 入門　基礎編』，ソフトバンクパブリッシング，1998
『Perl で作る CGI 入門　応用編』，ソフトバンクパブリッシング，1998
『Java 言語プログラミングレッスン（上）（下）』，
　　ソフトバンクパブリッシング，1999（改訂版：2003）
『Perl 言語プログラミングレッスン　入門編』，
　　ソフトバンクパブリッシング，2001
『Java 言語で学ぶデザインパターン入門』，
　　ソフトバンクパブリッシング，2001　（増補改訂版：2004）
『Java 言語で学ぶデザインパターン入門　マルチスレッド編』，
　　ソフトバンクパブリッシング，2002
『結城浩の Perl クイズ』，ソフトバンクパブリッシング，2002
『暗号技術入門』，ソフトバンクパブリッシング，2003
『結城浩の Wiki 入門』，インプレス，2004
『プログラマの数学』，ソフトバンクパブリッシング，2005
『改訂第 2 版 Java 言語プログラミングレッスン（上）（下）』，
　　ソフトバンククリエイティブ，2005
『増補改訂版 Java 言語で学ぶデザインパターン入門　マルチスレッド編』，
　　ソフトバンククリエイティブ，2006
『新版 C 言語プログラミングレッスン　入門編』，
　　ソフトバンククリエイティブ，2006
『新版 C 言語プログラミングレッスン　文法編』，
　　ソフトバンククリエイティブ，2006
『新版 Perl 言語プログラミングレッスン　入門編』，
　　ソフトバンククリエイティブ，2006
『Java 言語で学ぶリファクタリング入門』，
　　ソフトバンククリエイティブ，2007
『数学ガール』，ソフトバンククリエイティブ，2007
『数学ガール／フェルマーの最終定理』，ソフトバンククリエイティブ，2008
『新版暗号技術入門』，ソフトバンククリエイティブ，2008

『数学ガール／ゲーデルの不完全性定理』，
　　ソフトバンククリエイティブ，2009
『数学ガール／乱択アルゴリズム』，ソフトバンククリエイティブ，2011
『数学ガール／ガロア理論』，ソフトバンククリエイティブ，2012
『Java 言語プログラミングレッスン　第 3 版（上・下）』，
　　ソフトバンククリエイティブ，2012
『数学文章作法　基礎編』，筑摩書房，2013
『数学ガールの秘密ノート／式とグラフ』，
　　ソフトバンククリエイティブ，2013
『数学ガールの誕生』，ソフトバンククリエイティブ，2013
『数学ガールの秘密ノート／整数で遊ぼう』，SB クリエイティブ，2013
『数学ガールの秘密ノート／丸い三角関数』，SB クリエイティブ，2014
『数学ガールの秘密ノート／数列の広場』，SB クリエイティブ，2014
『数学文章作法　推敲編』，筑摩書房，2014
『数学ガールの秘密ノート／微分を追いかけて』，SB クリエイティブ，2015
『暗号技術入門　第 3 版』，SB クリエイティブ，2015
『数学ガールの秘密ノート／ベクトルの真実』，SB クリエイティブ，2015
『数学ガールの秘密ノート／場合の数』，SB クリエイティブ，2016
『数学ガールの秘密ノート／やさしい統計』，SB クリエイティブ，2016
『数学ガールの秘密ノート／積分を見つめて』，SB クリエイティブ，2017
『プログラマの数学　第 2 版』，SB クリエイティブ，2018
『数学ガール／ポアンカレ予想』，SB クリエイティブ，2018
『数学ガールの秘密ノート／行列が描くもの』，SB クリエイティブ，2018
『C 言語プログラミングレッスン　入門編　第 3 版』，
　　SB クリエイティブ，2019
『数学ガールの秘密ノート／ビットとバイナリー』，SB クリエイティブ，2019
『数学ガールの秘密ノート／学ぶための対話』，SB クリエイティブ，2019
『数学ガールの秘密ノート／複素数の広がり』，SB クリエイティブ，2020
『数学ガールの秘密ノート／確率の冒険』，SB クリエイティブ，2020
『再発見の発想法』，SB クリエイティブ，2021
『数学ガールの物理ノート／ニュートン力学』，SB クリエイティブ，2021
『Java 言語で学ぶデザインパターン入門　第 3 版』，
　　SB クリエイティブ，2021
『数学ガールの秘密ノート／図形の証明』，SB クリエイティブ，2022
『数学ガールの物理ノート／波の重ね合わせ』，SB クリエイティブ，2022

本書をお読みいただいたご意見、ご感想を以下の QR コード、URL よりお寄せください。

https://isbn2.sbcr.jp/15413/

数学ガールの秘密ノート／数を作ろう

2023 年 5 月 10 日　初版発行

著　者：結城　浩

発行者：小川　淳

発行所：SBクリエイティブ株式会社
　　　　　〒106-0032　　東京都港区六本木 2-4-5
　　　　　https://www.sbcr.jp/

印　刷：株式会社リーブルテック

装　丁：米谷テツヤ

カバー・本文イラスト：たなか鮎子

Printed in Japan　　　　　　　　　　　　　　ISBN978-4-8156-1541-3